Collection
PASSION

D0813163

Dans la même collection

CARLA NEGGERS

UNE NOUVELLE
VIE COMMENCE

PRESSES DE LA CITE
PARIS

Titre original :
A TOUCH OF MAGIC

Collection Loveswept ™

Traduction française de Patricia Mathieu

Publié avec l'accord de Bantam Books, Inc.

La loi du 11 mars 1957 n'autorisant, aux termes des alinéas 2 et 3 de l'article 41, d'une part, que les « copies ou reproductions strictement réservées à l'usage privé du copiste et non destinées à une utilisation collective », et, d'autre part, que les analyses et les courtes citations dans un but d'exemple et d'illustration, « toute représentation ou reproduction intégrale ou partielle, faite sans le consentement de l'auteur ou de ses ayants droit ou ayants cause, est illicite » (alinéa 1er de l'article 40).

Cette représentation ou reproduction, par quelque procédé que ce soit, constituerait donc une contrefaçon sanctionnée par les articles 425 et suivants du Code pénal.

© 1983, by Carla Neggers
© Presses de la Cité 1984, pour la traduction française
ISBN : 2-258-01474-3

1

SARAH attendait devant la porte, les doigts croisés, les dents serrées, le visage inondé par la pluie. Elle s'était rarement sentie aussi vulnérable. Mais que faire sous cet orage, alors qu'il était presque minuit et que ses jambes étaient raides de fatigue? Comble de malchance, elle avait perdu sa lentille de contact gauche des heures auparavant, et ses lunettes lui étaient inutiles sous la pluie.

La porte s'ouvrit enfin. Sarah sentit sa gorge se contracter mais elle se reprit et s'avança sous les trombes d'eau, un vague sourire aux lèvres. Elle scruta la silhouette qui se tenait sur le seuil, mais sa vue très faible lui permit seulement de noter que c'était un homme et qu'il était grand.

— Monsieur Craig? Je sais que j'ai sept heures de retard, mais je peux le justifier.

Elle s'arrêta. En plissant les yeux, elle put constater que l'homme ne semblait pas avoir dépassé la soixantaine. Or, Bradley Craig avait pris sa retraite dans la montagne, trois ans plus tôt. C'était ce qu'il expliquait dans sa lettre.

Sarah recula d'un pas, se demandant si, dans sa confusion, elle avait pu se tromper d'adresse en pleine nuit, et en pleine nature.

— Sept heures de retard? demanda le personnage d'une voix profonde, amicale et curieuse. Pourquoi?

Elle ne pouvait pas s'être trompée. Bradley avait écrit : « La troisième ferme dans Spring Road, une grande bâtisse blanche aux volets rouges, qui ne sert plus d'exploitation agricole. » Sarah avait pratiquement collé son visage sur la boîte aux lettres pour déchiffrer le nom : Craig.

— Je suis bien à la résidence des Craig, n'est-ce pas ?

— Oui.

— Eh bien, je suis Sarah Blackstone.

Elle n'avait pas besoin d'une vue parfaite pour constater qu'il l'observait avec surprise, en se demandant qui elle pouvait bien être.

« Le maître d'hôtel ! Il doit s'agir du maître d'hôtel », se dit-elle. Les Craig ne lui avaient pourtant pas semblé être le genre de famille qui emploie des domestiques. Bradley Craig lui avait écrit sur du papier ordinaire et Dorothy Craig lui avait ensuite adressé une carte ornée de trois petits chats. Cependant, la propriété était grande, il était minuit, et...

— Pourriez-vous vous expliquer, Miss Blackstone ?

En plissant les yeux, elle parvint à voir qu'il souriait ! Elle était sur le seuil, trempée jusqu'aux os, fourbue de fatigue, et cet homme lui souriait ! Il ne correspondait visiblement pas à l'image classique du maître d'hôtel, mais lui devait-elle des explications ? Où étaient donc Émily Post et tante Anna quand elle avait besoin d'elles ?

— Mr et Mme Craig m'attendent, dit-elle poliment.

— Ils sont absents.

— Absents ?

Il hocha la tête.

— Miss Blackstone, voulez-vous entrer ? Je suis certain que nous pouvons expliquer ce mystère et...

— Non, non, c'est inutile, répliqua-t-elle rapidement.

« Et que vas-tu faire, Sarah Blackstone ? songea-t-elle. Passer la nuit dans un bosquet ? Cet homme doit avoir des serviettes, de la nourriture et de l'eau chaude... et du café, du café brûlant ! » Elle frémit à l'idée de renoncer à tout cela. Si l'autre avait des intentions malhonnêtes, il lui aurait sans doute déjà sauté à la gorge. Mais où diable étaient les Craig?

— Seront-ils de retour dans la matinée? demanda-t-elle.

— Non. Ils sont à Ann Arbor. Ma sœur vient d'accoucher prématurément.

— Oh!

Cela expliquait tout. Sarah était partie depuis trois jours. Les Craig avaient sans doute téléphoné ou écrit pour lui faire part de leur voyage imprévu, mais elle n'avait pas pu recevoir leur message. Elle avait donc souffert pour rien. Elle ne se voyait pas passer plusieurs jours avec cet homme souriant.

— Miss Blackstone, entrez, je vous en prie. Tout cela est très amusant, mais il pleut, et...

— Je crois que je... Qui êtes-vous?

Il éclata de rire.

— Vous êtes vraiment amusante... Brad Craig. Je suis inoffensif. Alors, voulez-vous entrer?

— Oh, vous êtes donc le fils de Bradley et Dorothy?

— En effet.

Elle eut un petit rire gêné.

— Je ferais peut-être mieux de m'essuyer avant d'entrer. Je suis vraiment trempée.

Elle sentait les yeux de Craig qui parcouraient son corps mince, à peine protégé par ses vêtements mouillés. Elle aurait aussi bien pu être nue.

— Quelle tempête! fit-il. Je reviens dans un instant.

Il laissa la porte entrouverte et disparut. Sarah se sentait soulagée. Elle était certaine que Bradley et Dorothy Craig étaient des gens honnêtes, et leur fils devait donc leur ressembler. Inutile de s'inquiéter. Brad réapparut, sortit sous le porche et lui lança une serviette. Elle tendit la main, mais la manqua et dut se baisser pour la ramasser.

— Êtes-vous... êtes-vous aveugle, Miss Blackstone?

— Non, non, répondit-elle en riant. Du moins, pas d'habitude. J'ai perdu un verre de contact à quarante kilomètres d'ici environ, et mes lunettes sont tout à fait inutiles par ce temps. Elles s'embuent, et je ne vois absolument rien.

— Vous avez perdu une lentille de contact?

Elle hocha la tête en s'épongeant avec la grande serviette moelleuse.

— Ma lentille gauche. J'avançais tranquillement quand un camion a roulé dans une flaque et m'a arrosée de la tête aux pieds. En me débattant pour éviter cette douche, j'ai perdu mon verre. Bien sûr, je n'ai pas pu le retrouver. Si je n'étais pas astigmate, je pourrais porter des lentilles souples, qui tiennent mieux.

— Je vois.

Il semblait amusé.

— C'était l'enfer, poursuivit-elle. Mes lunettes m'ont servi quelque temps, puis je n'avais plus rien de sec pour les essuyer, et je n'ai pu que les ranger dans ma poche avant de poursuivre mon chemin à tâtons.

Elle sourit, se sentant un peu plus à l'aise maintenant, et frotta vigoureusement la serviette sur son pantalon léger et son chemisier. Elle scruta Brad, espérant le voir mieux avec un visage sec, mais bien sûr, rien n'avait changé. Il était toujours flou, bien que plus grand et plus musclé qu'elle ne l'aurait cru. Elle se croyait assez grande, mais il la dépassait d'une tête.

— Voyons si j'ai bien compris, dit-il. Vous étiez à quarante kilomètres d'ici...

— Oui. Je suis venue par le sud, le long de la rivière.

— Bien. Et un camion a roulé dans une flaque et éclaboussé votre voiture...

— Pas ma voiture! répondit-elle en riant. Moi!

— Vous? fit-il, incrédule. Vous rouliez tranquillement, un camion est passé dans une flaque d'eau...

— D'eau sale et boueuse. C'était horrible.

— D'eau sale, répéta-t-il, et cette eau sale a pénétré par votre vitre et vous a fait perdre votre lentille de contact? Allons, Miss Blackstone, je ne suis jamais mécontent quand une jolie femme en détresse frappe chez moi à minuit, mais vous pouvez sans doute trouver mieux que ça.

— Je ne suis pas une jeune femme en détresse.

Elle sentait sur elle le regard scrutateur de cet homme. Une jolie jeune femme en détresse? Elle faillit éclater de rire.

— Et je n'étais pas en voiture. J'étais sur ma bicyclette, reprit-elle.

Il resta muet, et finit par rire franchement.

— Mais enfin, c'est la vérité! Allez vérifier vous-même. Un Raleigh à dix vitesses.

Elle vit sa forme imprécise se diriger vers la porte et revenir rapidement.

— Eh bien, fit-il, j'avoue que vous avez de l'imagination. Maintenant, voulez-vous entrer, Sarah?

Elle rejeta la tête en arrière en serrant la serviette autour d'elle. Que voulait-il dire exactement? Si elle avait eu ses lentilles de contact, ou même ses lunettes, elle lui aurait adressé l'un de ses regards froids et pénétrants. Mais elle ne pouvait que plisser les yeux et, dans un soupir, elle le suivit à l'intérieur.

Elle n'avait pas fait deux pas que déjà, elle se heurtait à une table basse.

— Vous n'y voyez vraiment rien, n'est-ce pas?

Il rit et la prit par la main.

— Nous traversons l'univers des bibelots de ma mère. Je ne voudrais pas que vous gâchiez sa belle collection.

Sarah hocha la tête. Sa main était rugueuse, mais sèche et chaleureuse. Il ne se montrait pas entreprenant, simplement aimable. Bien sûr, ses lunettes étaient dans sa poche, et il aurait suffi qu'elle les confiât à son hôte en lui demandant de les sécher, mais elle n'y songea que lorsqu'ils se trouvèrent au milieu du hall orné de très jolies figurines de céramique. Elle ne cessait de penser à son nom : Brad Craig, Brad Craig. Où l'avait-elle vu? Bradley Craig? Non, ce n'était pas ça. Brad Craig, simplement.

Il la guida jusqu'à une petite salle de bains attenante à la grande cuisine et lui dit de se mettre à l'aise.

— Je suppose que vous n'avez plus rien de sec dans vos bagages?

— Non, tout est trempé depuis des heures. Il a plu toute la journée.

— Vous avez passé toute la journée sur les routes?

Elle hocha la tête.

— J'y ai même passé trois jours. Je suis certaine que vos parents m'ont envoyé un message, mais je n'étais pas chez moi pour le recevoir.

Même sans ses lentilles, elle put voir son sourire. Il ne la croyait pas.

— Bien sûr, Sarah.

Elle aurait préféré qu'il l'appelle Miss Blackstone, comme tout le monde. Cette utilisation de son prénom la mettait mal à l'aise.

— Écoutez, vous pouvez emprunter mon peignoir, et nous nettoierons vos vêtements demain matin. Ou bien je peux monter vous chercher une robe de ma mère que je vous prêterai.

Elle n'avait pas pensé au problème des vêtements, trop préoccupée par l'idée d'arriver chez les Craig.

— Votre peignoir sera parfait, répondit-elle poliment.

— Je m'en doutais.

Il sortit et ferma la porte.

Sarah prit immédiatement ses lunettes, les nettoya, les sécha et les posa sur son nez. Enfin, elle voyait! Elle examina la salle de bains : murs blancs, mobilier blanc, carrelage blanc, et un peignoir de proportions gigantesques, de couleur ocre, suspendu derrière la porte. Tout était propre et net, mais n'expliquait pas pourquoi le nom de Brad Craig lui revenait sans cesse. Cependant, le simple fait de voir lui redonnait confiance.

Quinze minutes plus tard, elle coiffait devant le miroir ses cheveux d'un blond scandinave, bien qu'elle n'eût pas une goutte de sang nordique dans les veines. Elle aurait aimé que ses yeux soient bleus pour faire ressortir la couleur de ses cheveux, mais ils étaient vert pâle. Son nez était droit, bien qu'un peu long, et sa bouche quelconque lorsqu'elle souriait. Elle n'avait jamais aimé ses fossettes.

Elle enfila le peignoir qui sembla l'engloutir complètement. Elle se dit qu'elle avait peut-être rétréci sous la pluie, et serra fermement la ceinture autour de sa taille en souriant. Brad Craig était vraiment un géant. Elle se dit qu'avant tout elle était Sarah Blackstone.

La jeune femme sortit furtivement de la salle de bains et observa silencieusement Brad. Il était devant la cuisinière et remuait une cuiller dans ce qui semblait être des œufs. Elle se glissa derrière lui et, s'assit sans un mot sur un banc de pin.

Il tourna la tête et lui sourit, comme s'il savait qu'elle l'observait.

— Vous vous sentez mieux?

Elle sursauta. Autant pour sa discrétion.

— Oh, oui. Beaucoup mieux, merci.

— Très bien, fit-il en se retournant vers les œufs.

Avec ses lunettes, Sarah pouvait constater que Brad Craig était en effet très grand, et très musclé, mais sans une once de graisse superflue. Les muscles de ses cuisses apparaissaient sous le tissu de son jean, et ses hanches étaient minces. Il portait une chemisette à manches courtes qui révélait ses bras puissants. Pourtant, il ne donnait pas simplement une impression de force brute, mais aussi d'énergie et de souplesse. Qui était-il au juste?

Brad Craig... Brad Craig... qui était-ce donc?

Il versa le contenu de la poêle dans une assiette. Sarah s'efforça de ne pas le regarder avec trop d'insistance. Il lui adressa un regard expert qui l'irrita par sa franchise, mais qui la flatta par son air approbateur.

— Merci, fit-elle. J'aurais pu les préparer moi-même, mais vous êtes très gentil.

Il plaça la fourchette qu'il avait utilisée pour remuer les œufs devant elle.

— Les toasts et le café arrivent, dit-il en souriant. Je peux vous offrir autre chose?

« Oui, une biographie succincte de Brad Craig », se dit Sarah.

— Non, merci. Vous êtes très aimable.

Il éclata de rire en apportant les toasts.

— Vous êtes épatante, Sarah Blackstone. Où habitez-vous?

— New York.

— De la confiture sur vos toasts?

Elle secoua la tête, et il entreprit de beurrer le pain.

— Ainsi, vous êtes venue à bicyclette depuis la ville, hein?

Encore ce doute, chez lui! Du calme, Sarah, du calme.

— C'est exact.

— Vos jambes ne sont pas trop fatiguées?

— La douche leur a fait du bien.

— Je n'imagine pas une petite chose comme vous faisant cent vingt kilomètres à bicyclette, mais il vous a fallu trois jours, m'avez-vous dit?

Sarah s'était vu adresser de nombreux qualificatifs dans sa vie, mais sans doute jamais celui de « petite chose ». Elle était grande et mince.

— Je ne suis pas venue directement ici, monsieur Craig.

— Vraiment? fit-il, surpris.

— J'ai rendu visite à quelques amis et à des musées, en venant. C'était vraiment très amusant, jusqu'à aujourd'hui, avec la pluie. Je reconnais que je n'étais pas équipée pour une pareille tempête.

Il disposa le toast sur le bord de son assiette, souleva une jambe et s'assit à cheval sur le banc. Le genou qui était sous la table touchait presque celui de Sarah — elle baissa les yeux pour s'en assurer — et son autre genou n'était qu'à quelques centimètres. Il semblait attendre qu'elle continue, et elle reprit :

— Mais il n'y a pas que la pluie qui m'ait retardée. Je suis partie en retard ce matin. J'étais chez des amis que je n'avais pas vus depuis des mois et ils m'ont préparé un petit déjeuner extraordinaire. Je pensais rattraper le temps perdu, mais j'ai eu des problèmes avec mes jambes.

— Les jarrets?

— Oui. Et il y avait tellement de côtes! Enfin, j'aurais pu m'en sortir, mais j'ai eu une crevaison, et c'est alors que j'ai perdu ma lentille de contact. C'est ce qui m'a ralentie. J'ai essayé d'appeler plusieurs fois, mais sans réponse.

— J'étais sorti.

— Je comprends.

Mais s'il avait répondu et expliqué que ses parents étaient absents, elle ne serait jamais venue. Elle goûta les œufs.

— Avez-vous... euh... avez-vous mis quelque chose dans les œufs?

— Oui, ma mère a planté des herbes, j'en ai cueilli pour relever le plat. Vous n'aimez pas?

— Eh bien...

Elle dut faire appel à toute son éducation pour éviter de lui dire ce qu'elle pensait : il avait mis de l'herbe à chat dans ses œufs brouillés.

— C'est très bon.

Il sembla soulagé.

Elle mordit dans son toast et remarqua pour la première fois le visage de Brad. Il n'était pas particulièrement beau, mais fort et amical. Ses yeux étaient très sombres et semblaient perpétuellement sourire, et il avait des cheveux bruns très épais.

— Je suis vraiment désolée d'arriver ainsi à l'improviste, dit-elle honnêtement. Bien sûr, je ne serais pas venue si j'avais su que vos parents étaient absents.

— Bien sûr.

Elle lança un regard perçant à Brad et vit qu'il dissimulait un sourire derrière sa main. Il ne la croyait pas! Il pensait... Oh, juste ciel! Cet homme pensait qu'elle avait préparé ce scénario simplement pour... pourquoi? Pour l'approcher? Le rencontrer? Passer la nuit...

— Oh, mon Dieu!

Il posa les mains sur ses genoux et se pencha vers elle :

— Qu'y a-t-il, Sarah?

— Monsieur Craig, vous ne semblez pas comprendre. J'ai écrit à vos parents il y a quelques semaines en leur expliquant que mes ancêtres avaient construit cette maison en 1797 et qu'un grand nombre d'entre eux étaient enterrés ici. Je leur ai demandé si je pourrais profiter de mes vacances pour venir voir leurs tombes et visiter la propriété.

Elle aurait juré qu'il s'efforçait de ravaler un éclat de rire, mais elle l'ignora.

— Ils ont insisté non seulement pour que je vienne, mais pour que je séjourne avec eux aussi longtemps que je le voudrais. J'ai apprécié leur gentillesse et accepté. Nous étions convenus que j'arriverais dimanche soir à cinq heures. J'ai peut-être sept heures de retard, mais je suis ici.

Brad s'accouda à la table et posa le menton au creux de sa main en répondant avec ironie :

— Je vois.

— Je sais que mon arrivée peut sembler surprenante, mais je ne pensais pas venir à bicyclette quand j'ai parlé à vos parents, la semaine dernière. J'ai pris cette décision au dernier moment.

Elle n'ajouta pas qu'elle espérait ainsi retrouver le bonheur et la joie de vivre de son adolescence. Tant de choses étaient arrivées en quelques années! Les Craig l'avaient peut-être senti, ce qui pouvait expliquer leur gentillesse. Sarah soupira, se sentant soudain très lasse.

— Vous ne semblez pas être une femme qui prend des décisions au dernier moment, Miss Blackstone.

Sarah préférait qu'il l'appelle ainsi, mais en le regardant, elle retrouva cette ironie masquée dans ses yeux.

— En effet, cela m'arrive rarement.

— Seulement cette fois?

Elle hocha la tête, et il lui sourit.

— Ne vous inquiétez pas. Je ne vais pas vous jeter dehors par ce temps. Certaines personnes ont fait des choses plus bizarres pour me rencontrer, même des hommes. Vous êtes charmante, Sarah, et très jolie, mais je préférerais que vous dormiez dans la chambre d'amis.

Elle repoussa son assiette, se redressa et lui adressa un regard irrité. Il éclata de rire.

14

— Ne vous formalisez pas, fit-il. Comme je le disais, vous êtes jolie, et vous avez beaucoup d'imagination. Je suis vraiment tenté, mais il est une heure du matin. De plus, ce genre d'exercice avec moi serait très mauvais pour vos jarrets.

Sarah resta muette d'indignation. Puis elle se leva, aussi digne que possible dans le peignoir trop grand pour elle, et le toisa avec colère.

— Je ne sais pas qui vous êtes, monsieur Craig, ni pour qui vous vous prenez, mais je suis Sarah Blackstone, présidente des industries Blackstone et P.-D.G. de la fondation Blackstone. Je vous serais reconnaissante de garder pour vous vos remarques grossières et vos insinuations totalement dénuées de fondement.

Il éclata de rire.

— C'est ainsi que vous le prenez? D'accord, si vous insistez... Je suis Brad Craig, le trois-quarts de l'équipe des New York Novas.

Sarah aurait voulu le gifler, mais elle craignait que le peignoir ne s'ouvre si elle ne le maintenait pas, ce qui aurait encore accentué son rire. Ainsi, il faisait partie d'une des plus célèbres équipes de football du pays. Elle serra le peignoir autour d'elle, fit demi-tour et se dirigea vers l'escalier.

— La troisième porte sur votre droite, cria-t-il entre deux éclats de rire. Vous ne voulez pas de café?

— Non! répondit-elle sans se retourner. J'aurai déjà du mal à dormir, merci!

2

SARAH ne pouvait y croire. Elle était seule dans les montagnes en compagnie d'un homme qui se prenait pour un footballeur! Il ne manquait plus que cela pour conclure la journée! Elle grommela en claquant la porte derrière elle. Brad Craig était grand, séduisant, arrogant, et...

Et il lui semblait vaguement familier. Était-il possible qu'il ait dit la vérité?

Elle alluma la lumière et examina la pièce. Son atmosphère campagnarde et rustique la calma instantanément : meubles de pin et de chêne, couvre-lit en patchwork, parquet lustré. Le bruit de la pluie sur le toit la fit sourire et chassa sa colère.

Elle, Sarah Blackstone, avait survécu à une tragédie. Elle était à la tête d'une fortune considérable. Elle se trouvait souvent face à des hommes et des femmes qui cherchaient à la mettre en difficulté, et devait donc être capable de se sortir des griffes d'un homme qui avait l'impudence de penser...

Non, elle ne voulait plus songer à ce qu'il lui avait dit. Elle ôta rapidement le peignoir géant et se glissa dans le lit.

Ah, ce sourire enjôleur... Elle bâilla, écoutant la pluie tomber. Et ces yeux sombres et rieurs... Elle s'endormit en souriant.

Quelques heures plus tard, le soleil de juin qui inondait la pièce la réveilla. Elle rejeta les couvertures et paressa un moment aux chauds rayons matinaux. Sarah se sentait forte et confiante. Elle prit ses lunettes et se dirigea vers la fenêtre. Elle voulait voir où elle était, et dans quel environnement Hamilton Blackstone avait choisi, des siècles plus tôt, de construire sa maison.

Des nuages d'altitude flottaient dans le ciel bleu, et les prairies, les forêts et les montagnes qui s'étendaient devant elle semblaient merveilleusement accueillantes comparées au ciel gris et terne de Manhattan auquel elle était habituée.

Sarah sourit. En examinant le jardin des Craig, elle n'eut pas de peine à comprendre pourquoi Hamilton Blackstone avait élu cet emplacement précis, pratiquement deux siècles auparavant. Les centaines d'iris multicolores qui formaient un parterre sur sa gauche n'existaient sans doute pas à cette époque, mais la belle pelouse des Craig était peut-être la même que celle des Blackstone.

Le souvenir de ses œufs agrémentés d'herbe à chat ramena Sarah au vingtième siècle. Elle secoua la tête, refusant de penser de nouveau à cette conversation avec son hôte. Quand Brad Craig se trouverait face à son invitée, il comprendrait immédiatement son erreur. Il la verrait sèche, habillée et sûre d'elle.

Un mouvement attira son attention sur la gauche. En se penchant, elle aperçut une corde à linge et un homme qui fouillait dans un grand panier. Brad Craig! Elle ne put réprimer un sourire en le voyant prélever un vêtement et le suspendre avec précaution sur la corde. Elle reconnut immédiatement un tee-shirt identique à celui qu'elle avait apporté...

Non, c'était impossible!

Elle écarquilla les yeux en voyant sur la corde les vêtements qu'elle portait la veille : son pantalon bleu, sa chemise, ses sous-vêtements.

— Oh, non!

Sarah regarda derrière elle et se souvint alors qu'elle était montée dans la chambre avec le peignoir de Brad pour tout vêtement. Et Brad avait décidé de lui rendre service en nettoyant son linge, qu'il suspendait maintenant à la corde.

Elle qui croyait le mettre en présence d'une Sarah Blackstone habillée et sûre d'elle! Elle observa de nouveau le jardin. Il avait presque terminé d'accrocher ses sous-vêtements ornés de dentelle.

— Du calme, Blackstone, du calme, marmonnat-elle. Inutile d'avoir l'air gêné.

Après tout, se dit-elle, de nombreuses personnes s'occupaient sans cesse de ses vêtements. Mais pas de grandes brutes se prenant pour des trois-quarts de football!

Elle sourit. Bien sûr, cela prouvait que Brad Craig n'était pas le personnage qu'il prétendait être. Un champion ne se serait pas levé à l'aube pour nettoyer les effets d'une inconnue!

Mais ce nom... Il lui semblait toujours familier. S'il n'était pas footballeur, qu'était-il?

Elle enfila rapidement le peignoir, le serra soigneusement autour d'elle, et descendit. A quoi bon retarder l'inévitable? Elle devrait tôt ou tard l'affronter de nouveau, vêtue de cette robe de chambre. Elle pénétra dans la cuisine.

Brad entra par la porte de derrière, avec le panier vide, que Sarah ne tenait pas à évoquer. Il s'arrêta en la voyant au milieu de la cuisine. Sans dire un mot, il la regarda dans les yeux, puis examina la longue silhouette qui apparaissait sous le vêtement en éponge, jusqu'à ses orteils nus.

Il ne chercha pas le moins du monde à se montrer discret dans son examen. Pourquoi l'aurait-il fait? Il pensait qu'elle était venue pour le séduire, ou avec l'intention de tout faire pour qu'il la séduise. Dans ces conditions, pourquoi hésiter à l'observer comme il en avait envie? Sarah fut surprise de constater qu'il semblait enchanté de ce qu'il voyait. Ses yeux remontèrent lentement jusqu'au visage de la jeune femme, et elle y lut une lueur approbatrice.

Sarah ne ressentit ni colère ni indignation, ce qui l'étonna elle-même, mais plutôt une sorte de fascination pour le désir qui brillait dans les yeux de cet homme. Elle sourit et se demanda ce qui arriverait s'il poussait l'audace jusqu'à la toucher.

— Bonjour, fit-il d'une voix sensuelle, avec un large sourire.

18

— Euh... bonjour, répliqua-t-elle gaiement en détournant les yeux.

Elle se sentait un peu étourdie. « La faim, sans doute, » se dit-elle fermement. Ce ne pouvait être que la faim.

— Je ne pensais pas que vous vous leviez si tôt, reprit-elle.

— Huit heures et demie, fit-il. J'aime me lever le matin quand je suis à la campagne.

En regardant la pendule, elle constata qu'il était plus de dix heures.

— Moi aussi, généralement. Mais aujourd'hui... Je veux dire...

— Non, non, je ne vous blâme pas d'avoir fait la grasse matinée après votre aventure d'hier, affirmat-il avec une pointe d'ironie. Si vous cherchez vos vêtements... poursuivit-il en s'appuyant à la table.

— Je sais, je vous ai vu, coupa-t-elle un peu trop vite.

Elle sourit et passa ses doigts dans ses cheveux.

— Depuis la fenêtre de ma chambre, expliquat-elle. Vous n'aviez pas... J'aurais pu me débrouiller seule, monsieur Craig.

— Je l'ai fait avec plaisir, répondit-il avec un sourire sensuel.

Il s'interrompit, mais Sarah n'avait rien à ajouter.

— Vous auriez sans doute eu du mal à suspendre des vêtements dans cette tenue, reprit-il en désignant le peignoir. Et je n'aime pas utiliser le sèchelinge. Je préfère étendre les vêtements au soleil. Cela me délasse. Vous avez faim?

Elle hocha la tête et se sentit un peu réconfortée. Il ne pouvait pas être champion de football.

— Je suis affamée. Je peux me préparer quelque chose...

— Il y a du pain d'épice dans le réfrigérateur, mais je ne sais pas, Sarah. Je ferais peut-être mieux de préparer votre petit déjeuner moi-même pour cette fois. Je ne voudrais pas que vous vous brûliez, ou que vous perdiez votre peignoir. Vous ne voudriez pas me tenter, maintenant, n'est-ce pas, Sarah?

Son ton moqueur et son regard allumé indiquèrent à Sarah qu'il ne croyait pas plus à son histoire de la veille. Elle plissa les yeux et lui adressa un de ses célèbres regards pénétrants mais le sourire sensuel ne broncha pas. Brad avait les cheveux en désordre, et portait un pantalon blanc et une marinière. Elle songea qu'elle aurait fort bien pu imaginer un scénario compliqué, simplement pour faire la connaissance de cet homme... Mais elle ne l'avait pas fait!

— Quelque chose ne va pas, Sarah?

Le regard de la jeune femme se fixa de nouveau sur lui et elle le toisa froidement.

— Monsieur Craig, fit-elle en employant le ton glacial que lui avaient enseigné sa mère et sa tante, je pensais avoir bien précisé hier soir que je n'appréciais pas vos insinuations. Je reconnais que mon arrivée a pu vous paraître surprenante...

Il leva un épais sourcil, l'air goguenard :

— Seulement surprenante?

Elle ignora son interruption et reprit sa respiration avant de poursuivre :

— Mais ce que je vous ai dit est vrai. Je suis venue de New York à bicyclette pour passer quelque temps avec vos parents.

Cette fois, le sourire se fit éclatant :

— Vous allez me répéter tous vos titres?

Elle se raidit. Il ne croyait donc même pas à son identité!

— Mes titres n'ont rien à voir avec les raisons qui m'ont amenée dans la région, monsieur Craig. Je vous ai dit qui j'étais.

— D'accord, Sarah.

D'accord, Sarah! Il avait décidé de ne pas la croire. Elle s'enveloppa dans le peignoir et alla s'asseoir sur le banc. Sans dire un mot mais en réprimant visiblement un éclat de rire, Brad se dirigea vers elle. Il redressa le col du vêtement, et le simple effleurement de ses doigts contre la nuque de la jeune femme fit pivoter rapidement Sarah. Il sourit en constatant qu'elle s'était presque heurtée à lui.

— Votre col était retourné.

— Oh, fit-elle avec un rire nerveux, mais elle savait qu'elle n'avait pas su masquer sa réaction au contact des doigts de Brad.

Lentement, délibérément, il ajusta les pans d'abord sur sa nuque, puis sur sa poitrine.

— Monsieur Craig...

— Brad, l'interrompit-il avec douceur.

— Brad, je...

Elle s'arrêta. Son mouvement brusque avait entrouvert la robe de chambre, exposant sa poitrine blanche et sensible. Elle ne parvint pas à retrouver les mots qu'elle allait prononcer. Brad effleura nonchalamment les seins de la jeune femme, qu'il savait nue sous l'éponge. Il s'écarta ensuite et s'inclina respectueusement.

— Je ne suis pas un animal, Sarah Blackstone, dit-il, soudain sérieux. Mais je suis un homme, et peu d'hommes pourraient résister à ce que vous offrez.

Furieuse, Sarah recula en serrant le peignoir autour d'elle.

— Je n'offre rien du tout!

Il la regarda calmement, sans broncher.

— Vraiment? Pourtant, votre indignation ne m'a pas paru évidente à l'instant, Sarah.

La jeune femme fit demi-tour et s'installa sur le banc. C'était vrai, elle n'avait pas montré la moindre indignation. Mais elle était aussi une femme, et comment résister à ce qu'il offrait?

Elle le regarda subrepticement sortir un plat du réfrigérateur et s'approcher du comptoir, lui tournant le dos. Ses yeux se posèrent sur les hanches minces, les cuisses musclées...

Non! Sarah détourna la tête. Non, elle ne se laisserait pas attirer par cet homme. C'était ce qu'il voulait et ce qu'il attendait. Ainsi, il pourrait lui dire : « Vous voyez que vous êtes venue simplement pour me rencontrer! »

Elle le regarda s'affairer.

— Vous ne me croyez peut-être pas, monsieur Craig, dit-elle froidement. Mais sachez que je ne vous crois pas non plus.

— Vraiment?

Il se sécha les mains sur son pantalon, et elle entendit le contact des paumes sur les cuisses musclées. Et si elle avait tort? Qui d'autre qu'un athlète pouvait avoir un corps pareil?

— Non, répondit-elle. Une star du football ne se serait pas levée à l'aube pour nettoyer et étendre des vêtements, les siens ou ceux de quelqu'un d'autre, et certainement pas ceux d'une femme qui, d'après lui, ne cherche qu'à... qu'à le séduire!

Brad sembla amusé.

— Et qu'aurait fait un footballeur?

— Il aurait utilisé le sèche-linge!

— Je vois. Ainsi, vous ne croyez pas que je suis Brad Craig? railla-t-il en branchant le grille-pain sur le comptoir.

— Je ne crois pas que vous soyez champion de football, répliqua Sarah en souriant.

— Vous êtes épatante, Sarah.

— Cessez de me traiter comme une enfant! sifflat-elle, indignée. Naturellement, ce que nous pouvons penser l'un de l'autre n'a aucune importance, reprit-elle. Je suis simplement venue faire des recherches et visiter le cimetière des Blackstone. J'espère que vous m'autoriserez à le voir avant mon départ?

Tout en continuant à préparer le petit déjeuner, Brad se retourna, les sourcils légèrement froncés, et étudia Sarah en silence. Il songea qu'elle avait rapidement maîtrisé sa colère, comme si elle était habituée à faire taire ses sentiments pour parvenir à ses fins. En tant que footballeur professionnel, il avait souvent fait la même chose. Il était surpris et intrigué par cette jeune femme qui semblait attendre si calmement sa réponse. Il mourait d'envie de savoir qui elle était réellement. Finalement, il haussa les épaules.

— Je suppose qu'il ne serait pas très galant de ma part d'obliger une jeune femme souffrant des jambes à repartir sur sa bicyclette immédiatement.

Cette fois, Sarah ne décela pas d'ironie dans sa voix. Elle se dit qu'il cherchait sans doute à prendre un peu de recul par rapport à son histoire, ou du moins à la façon dont il avait interprété son histoire. Sans se moquer d'elle, il n'était pas totalement sérieux. Soupçonneux? Inquiet? Ennuyé? Elle n'aurait su le dire.

— Monsieur Craig, fit-elle doucement. Êtes-vous vraiment champion de football?

Sans la quitter des yeux, il éclata de rire. Sarah se retourna vers la table, mais le peignoir s'enroula dans ses jambes. Pourquoi riait-il ainsi? Un instant plus tôt, elle avait senti une certaine réserve chez lui, et maintenant il riait à gorge déployée. Sarah ne put s'empêcher de sourire, elle aussi. Elle se débattit pour se libérer. Était-il amusé parce qu'elle ne le reconnaissait pas, ou parce qu'elle avait été assez naïve pour croire ce qu'il lui avait raconté?

Elle tira sur son vêtement, et dévoila accidentellement une longue jambe mince. Elle se sentit immédiatement rougir. Sans lever les yeux, elle comprit qu'il avait vu, car son rire s'était arrêté. Sa jambe était dénudée jusqu'à la cuisse. Elle se reprit rapidement et se rajusta avant de glisser gracieusement ses jambes sous la table, sans dire un mot. Pendant tout le voyage épuisant qui l'avait amenée dans cette région, elle n'aurait jamais cru qu'elle regretterait de s'être lancée à la recherche des tombes de ses ancêtres. Mais maintenant, elle avait des regrets.

— Oh, Sarah, Sarah, fit Brad d'un ton moqueur, vous êtes très adroite, n'est-ce pas?

Il avait retrouvé son attitude réservée, et elle décida de ne pas se mettre encore une fois en colère. Il se remit à rire, mais moins gaiement qu'auparavant.

— D'accord, Sarah, vous pouvez rester.

Elle se tourna sur son banc, en prenant soin de laisser ses jambes sous la table, et l'observa tandis qu'il se passait les mains dans l'eau. Elle remarqua les muscles noueux de ses avant-bras. Elle ressentit soudain l'envie de les toucher et de sentir leur force. Brad lui adressa un regard entendu, comme s'il avait deviné ses pensées et n'en était pas surpris.

« Quelle arrogance! » se dit-elle.

Mais non, c'était plus compliqué que cela. Il était plus complexe. Il éprouvait une certaine crainte; une méfiance non seulement à son égard, mais envers toute femme qui se présentait à sa porte en pleine nuit.

Pourquoi ne voulait-il pas croire ce qu'elle disait? Pourquoi cette méfiance? Qui était-il pour ne pas lui faire confiance? Elle observa une nouvelle fois ses avant-bras et son corps musclé, s'efforçant d'être objective et d'oublier la contraction qui lui nouait la gorge. Il était très grand et très robuste. Assez robuste pour faire partie d'une équipe de football?

Sans aucun doute.

Si c'était vrai, cela pouvait expliquer sa prudence. Combien de femmes poursuivaient les champions en utilisant toutes sortes de stratagèmes? Dans ce cas, ce qu'elle avait pris pour une attitude égoïste et arrogante de sa part était peut-être simplement une réaction de cynisme née de l'expérience. Sarah se dit qu'il avait peut-être envie de la croire, mais que d'autres arrivées « mystérieuses » l'obligeaient à se méfier.

Il se mit à chantonner en disposant les toasts sur le gril. Elle chassa ses pensées et renoua le peignoir autour de sa taille. Que venait-il de lui dire? Qu'elle pouvait rester. Bien sûr.

— Merci, répondit-elle enfin. J'essaierai de ne pas vous gêner.

Le sourire sceptique qu'il lui adressa en toute réponse l'atteignit directement. Il était vraiment séduisant! Mais non. Elle était venue à cet endroit pour se détendre et rechercher le cimetière des Blackstone. Et Brad Craig ne voulait manifestement pas la croire. Peu importait qu'il fût poussé par l'arrogance, le cynisme ou la simple défiance. Elle n'avait pas parcouru tout ce chemin à bicyclette pour « faire de l'exercice » avec un athlète célèbre.

Brad lui apporta une assiette de toasts fumants, un pot de confiture qu'il affirma avoir faite lui-même, du beurre et du café. Il remplit la tasse et s'assit près de Sarah avec un soupir de satisfaction. Il lui sourit tandis qu'elle beurrait ses tartines.

— Avec ces petits déjeuners que tout le monde vous prépare, vous êtes vraiment gâtée, dit-il. Vous avez bien dit que vos amis vous avaient préparé un festin, hier matin?

Il avait repris un ton ironique pour poser cette question, mais Sarah fit semblant de ne pas l'avoir remarqué. Les toasts étaient délicieux, et il avait eu la gentillesse de les préparer spécialement à son intention... et de nettoyer son linge. Elle lui rendit son sourire et hocha la tête.

— En fait, j'ai toujours été gâtée. Je n'ai pas la chance d'avoir chaque matin de la confiture préparée par mon hôte, mais j'ai ma propre cuisinière, dit-elle en mâchant. C'est le privilège que possèdent les Blackstone.

— Vraiment?

Brad sourit au point que ses dents blanches étincelèrent. Sarah dut se retenir pour ne pas le gifler. Son visage n'était pas parfait — Sarah remarqua une cicatrice au-dessus de la paupière gauche— mais il dégageait un charme et une sensualité qui semblaient mieux correspondre au jeune homme que l'arrogance et le cynisme. Elle avala rapidement, sans prendre le temps d'apprécier ce repas.

— Eh bien, Sarah, je dois reconnaître que vous êtes tenace, dit-il sans cesser de rire. Vous ressemblez à un petit bouledogue déchiquetant une chaussure avec acharnement. Vous ne renoncez pas. Je suppose que la présidente des industries Blackstone et la P.-D.G. de la fondation Blackstone dont vous m'avez parlé doit en effet avoir sa propre cuisinière, mais dites-moi, est-ce qu'elle arriverait chez quelqu'un à minuit, trempée jusqu'aux os et à demi aveugle?

Sarah soupira et se concentra sur son petit déjeuner. « Un bouledogue, » se dit-elle. Cet homme veut la comparer à un bouledogue. C'était bien la première fois qu'on l'appelait ainsi.

— Je vous ai expliqué pourquoi j'étais dans cet état, fit-elle posément. Quant à ma mauvaise vue, je n'y peux rien, c'est héréditaire.

Elle le regarda, s'attendant à lire dans ses yeux cette expression de méfiance ou d'ironie, et à affronter son sourire narquois. Mais elle constata qu'il l'observait, détaillant non seulement son visage, mais aussi ses mains, les courbes de son corps sous le peignoir, et essayant de percer ses pensées.

Il se pencha vers elle et effleura d'un doigt les ongles manucurés, mais non vernis, de sa main gauche, posée près de son assiette. Puis le doigt remonta le long de ses phalanges, sur sa main jusqu'à son poignet. Elle le regardait, subjuguée, émerveillée par la douceur que pouvait posséder un homme si grand et si puissant. Elle dut se contenir pour ne pas prendre sa main dans les siennes.

— Je n'ai jamais vu de P.-D.G. aussi jeune et séduisante que vous, Sarah Blackstone, dit-il calmement, presque gravement, son ton contrastant avec la douceur de ses caresses.

Elle le regarda droit dans les yeux. Elle avait décidé de ne pas flancher.

— C'est que vous n'avez pas de chance, monsieur Craig, répondit-elle froidement. Je peux vous assurer que les groupies des footballeurs ne sont pas les seules femmes séduisantes sur terre.

Son regard scrutateur disparut, et il sourit en retirant sa main.

— Si la moitié des femmes qui m'ont poursuivi ces quinze ou vingt dernières années avaient été aussi jolies et aussi astucieuses que vous, j'aurais sans doute déjà succombé à l'une d'entre elles. Et je dois vous avertir, Sarah, je ne succombe pas facilement.

Sa main retomba à son côté, et Sarah se sentit soulagée. Elle le regarda, incrédule. Il parlait sérieusement !

— Monsieur Craig, vous êtes injuste. Vous tirez trop rapidement vos conclusions.

— Peut-être, fit-il avec un haussement d'épaules.

— Vous savez, vous prenez toutes les femmes pour des petites intrigantes...

— Pas toutes les femmes, interrompit-il doucement. Je ne suis pas misogyne. Je parle seulement des femmes qui font des choses étranges pour me rencontrer et qui me racontent des mensonges pour m'impressionner. Et des hommes aussi. Je vous ai dit hier qu'une foule de personnes avaient utilisé des stratagèmes incroyables pour me rencontrer.

Il se dirigea vers le hall.

— Mais enfin, je suis Sarah Blackstone! cria-t-elle. Je n'avais pas besoin de me donner tant de mal pour vous rencontrer!

— C'est ça, Sarah, fit-il sans se retourner. Continuez!

— Je vous donnerai des preuves! Accompagnez-moi au cimetière, et...

Il passa la tête par l'entrebâillement de la porte.

— Sarah, vous savez très bien qu'il n'y a pas un Blackstone enterré ici.

— Absolument pas!

Brad sourit, tapota le chambranle de la porte et disparut.

— Si vous ne me croyez pas, reprit-elle, pourquoi m'autorisez-vous à rester?

« Parce que vous êtes si fascinante, songea-t-il, si déterminée, et pourtant si vulnérable. Et puis, parce que vous me plaisez! Je vous connais depuis moins de vingt-quatre heures, Sarah Blackstone, et je ne sais pas qui vous êtes vraiment ni ce que vous attendez de moi, mais je sais que j'ai envie de vous prendre dans mes bras... »

Il hésita dans le hall, mais décida finalement de ne pas lui répondre à voix haute. Il avait connu de nombreuses mésaventures par le passé, et si Sarah Blackstone n'était qu'une intrigante de plus, il devrait...

« Mais elle n'est pas malhonnête! » se dit Brad. Il le savait. Sinon, pourquoi lui aurait-il permis de rester? Il grommela en traversant le hall et sortit.

N'entendant pas Brad lui répondre, Sarah soupira et espéra que son frère disait vrai. Parce que s'il n'y avait pas de Blackstone enterré dans la propriété, si son frère s'était trompé dans ses indications, et s'il ne s'agissait pas de l'ancien domaine des Blackstone, elle devrait trouver une bonne explication à fournir à M. Craig.

Elle espérait simplement que le grand frère Hamilton n'avait pas cherché à se moquer de sa petite sœur...

3

DEUX heures plus tard, Sarah était assise dans l'herbe haute, encore humide de la pluie de la veille, son bloc-notes et son stylo sur les genoux. Hamilton ne s'était pas moqué d'elle et n'avait pas commis d'erreur. Elle parcourut des doigts le granit usé de la pierre tombale de Sarah Elisabeth Blackstone, morte en accouchant à trente-quatre ans. Le bébé était enterré auprès d'elle.

Sarah sentit des larmes envahir ses yeux. La tragédie était donc déjà présente chez les Blacksto-ne, deux siècles plus tôt ? Etaient-ils tous destinés à mourir prématurément ? Ou simplement les meil-leurs, les plus forts, ceux qui laissaient derrière eux des parents qui les aimaient et avaient besoin d'eux ?

Sarah sentait les larmes rouler sur ses joues, la chaleur du soleil sur sa nuque, l'humidité du sol. Elle ne pensait pas être émue par les tombes de ses lointains ancêtres. C'était simplement un objectif, ou un prétexte, pour ces vacances inhabituelles. Pen-dant trop longtemps, sa vie avait été dominée par les luttes et les responsabilités de son travail, qui ne lui laissait aucun répit. Elle voulait rétablir son équili-bre, replacer ses problèmes dans leur vraie perspec-tive. Il le fallait ! Mais le souvenir de ses ancêtres la touchait. Ils avaient vraiment existé. Leur sang coulait dans ses veines. Elle représentait leur ave-nir.

Elle songea que cette émotion était peut-être une bonne chose. En approchant ainsi le passé, elle

pourrait remettre de l'ordre dans son présent. Elle
sécha ses larmes, prit son stylo, et nota les inscriptions figurant sur la pierre tombale, et sur celle qui
était tout près. Il y avait environ vingt-cinq tombes
en tout, mais toutes n'appartenaient pas à des
Blackstone.

Finalement, fatiguée par la chaleur et la faim,
mais ressentant une étrange sensation de paix,
Sarah franchit le mur qui entourait le cimetière. Elle
respira profondément l'air de la campagne et prit le
sandwich qu'elle avait apporté. Tout bien considéré,
sa matinée s'était bien passée. Elle avait évité Brad
Craig, à moins que ce ne soit lui qui l'ait évitée, et
avait retiré son linge de la corde elle-même, avant de
s'habiller et de se préparer un sandwich. Elle n'avait
pas eu besoin de faire face à son sourire ironique ni
de se poser des questions sur son nom qui lui
semblait toujours étrangement familier. Elle avait
décidé d'oublier l'identité de son hôte pour le
moment.

Elle grommela quand elle l'aperçut, traversant
une pelouse à quelque distance.

— Que veut-il encore? fit-elle à voix haute.

Et pourtant, elle ressentait une étrange impression
au creux de l'estomac en voyant ses cheveux sombres balayés par une légère brise. Elle essayait d'y
résister, simplement par fierté. Elle ne voulait pas
qu'il la considère comme une nouvelle victime de ses
charmes indéniables, mais elle avait eu certaines
réactions qui avaient sans doute indiqué à Brad qu'il
ne la laissait pas indifférente.

Il lui adressa un signe de la main, et même à une
trentaine de mètres, sous le chaud soleil de juin, elle
pouvait voir son sourire sensuel et charmeur. Elle ne
répondit pas. Elle s'efforçait de se souvenir que,
selon lui, elle était venue le voir pour tenter de le
séduire. Elle ne devait pas l'oublier.

— Alors, fit-il en s'approchant du mur, vous avez
trouvé ce que vous cherchiez?

— C'est mon côté bouledogue, répondit-elle en
souriant.

Il la regarda et éclata de rire. Puis il examina les

inscriptions figurant sur les pierres tombales. Ainsi, elle n'avait pas menti à ce sujet, songea-t-il.

— Vous avez donc terminé vos recherches, fit-il.

— Sarah semblait morose. Il posa un pied sur le rocher près d'elle et appuya sur sa jambe pliée. Sa longue cuisse musclée n'était qu'à quelques centimètres de l'épaule de la jeune femme. Il n'avait pas besoin de se tenir aussi près. Sarah le savait, et supposait qu'il en était également conscient, mais quel meilleur moyen de la tenter? Elle n'était pas insensible. Elle ne pouvait pas nier son désir ardent de le toucher et d'éprouver la force de ses muscles. Elle n'avait pas menti en disant qui elle était et les raisons qui l'avaient amenée dans la région, mais elle n'était pas de marbre. C'était une femme, et...

Sa gorge était serrée, et elle avait du mal à respirer. Oui, elle était une femme, et lui... lui était un homme!

Il remarqua la réaction de la jeune femme, mais fit mine de ne rien voir.

— Cet endroit est plein de Blackstone, n'est-ce pas? J'aurais pu reconnaître votre nom, Sarah, mais ce n'est que la deuxième ou la troisième fois que je viens ici, et je n'ai jamais fait le tour de la propriété pour voir qui y était enterré.

— Je comprends.

Si elle ne regardait pas ses jambes, ni ses yeux rieurs, ni son sourire, si elle ne le contemplait pas, tout se passerait bien. Mais pourquoi voulait-elle que tout se passe bien? Oh, se perdre dans ces yeux! Si seulement il la croyait!

— Alors maintenant, vous croyez ce que je vous ai dit?

Elle regardait le demi-sandwich posé sur ses genoux, mais sentait son sourire moqueur et amusé.

— Pas tout à fait, répondit-il. Disons simplement que vous m'avez présenté un mystère plus complet encore.

— Il n'y a aucun mystère! Ecoutez, Brad...

— Vous vous trahissez, Sarah. Qu'est devenu le « monsieur Craig »?

Elle le regarda d'un air qu'elle aurait voulu gla-

30

cial, mais ses yeux scintillants et le soleil qui dansait sur ses cheveux ondulés la surprirent. Son regard vert s'adoucit, et elle reprit difficilement sa respiration. Elle se détourna trop vite.

Brad plaça sa main sous le menton de la jeune femme et lui releva la tête. Si seulement elle s'était souvenue qu'il fallait l'appeler « monsieur Craig » ! Mais Brad était si séduisant. Il ne tenait plus son menton, mais elle ne baissa pas la tête, et ses doigts remontèrent lentement sur ses lèvres, les effleurant avec douceur.

— Vous allez prendre un coup de soleil sur le nez, dit-il lentement. Vous devriez porter un chapeau.

Il lui tapota le nez de l'index, et releva les lunettes de soleil de la jeune femme.

— Si je portais un chapeau, mes cheveux seraient aplatis et ternes, répondit-elle d'une voix un peu essoufflée.

Il effleura les mèches qui étaient légèrement collées à son front, après l'exercice de la matinée.

— Dans ce cas, vous devriez utiliser une lotion solaire, dit-il sur un ton sensuel contrastant avec la banalité de ses paroles. Je suis certain que ma mère a dû en laisser un flacon quelque part...

Comme Sarah se préparait à répondre, la bouche du jeune homme descendit rapidement vers elle, lui effleurant les lèvres. Il poussa un profond soupir, et l'embrassa de nouveau, ses mains glissant le long des épaules et de la poitrine de Sarah.

Il s'écarta légèrement, mais resta si proche qu'elle sentait son souffle sur son visage.

— Eh bien, Sarah, dit-il, est-ce que cela valait ce voyage de cent vingt kilomètres à bicyclette, ou voulez-vous davantage ?

Il la taquinait, mais l'éclair qui brillait dans ses yeux suffit à convaincre Sarah qu'il était aussi passionné qu'elle. C'était une idée enivrante, mais satisfaisante. Elle se rappela que ces vacances étaient une escapade pour elle, et que Brad Craig avait des parents gentils et généreux. Il n'était pas un animal. Ne l'avait-il pas dit lui-même ? Elle sourit.

— Vous êtes un drôle de personnage, monsieur Brad Craig, dit-elle en mordant dans son sandwich.

— Vraiment? fit-il sur un ton sardonique, et elle sentit qu'il souriait.

Du coin de l'œil, elle constata qu'il avait retiré son pied du petit muret de pierre. Il projetait une ombre gigantesque auprès d'elle, et il s'assit sur un rocher.

— Vous ne répondez pas à mes questions, Sarah, dit-il, manifestement satisfait de la voir émue. Voulez-vous que je vous parle du mystère que vous représentez?

Elle fit une boule du sachet de plastique qui avait contenu le sandwich et termina son repas.

— Pas particulièrement.

— Allons donc.

Il étira nonchalamment ses longues jambes. Sans savoir vraiment pourquoi, Sarah fixa son regard sur ses chevilles, qui apparaissaient entre l'ourlet de son pantalon et ses chaussures. La peau était bronzée. Même cela lui donnait de la puissance! Elle serra le plastique entre ses mains, se demandant ce qu'elle pourrait ressentir en effleurant son corps...

— Mon problème, reprit-il, est que je ne connais pas votre vrai nom.

Sarah s'arracha à sa contemplation, s'éclaircit la gorge, et entreprit de lisser le sachet sur ses genoux. Ses mains étaient moites. Mais elle se souvint de sa longue expérience des situations délicates, dans lesquelles elle savait rester froide et détachée. Elle regarda Brad et répondit posément :

— Je vous l'ai expliqué. Je m'appelle Sarah Blackstone, et je suis présidente des industries Blackstone et P.-D.G de la fondation Blackstone. Si vous désirez appeler mon bureau pour vérifier mon identité, je peux vous donner le numéro.

Sarah espérait qu'il n'allait pas la prendre au mot, songeant aux commérages que pourrait entraîner ce genre d'appel téléphonique, mais elle pensait que cela pourrait faire descendre Brad de ses grands chevaux.

— Bien sûr, répliqua-t-il. Je suppose que vous me

donneriez le numéro d'amis à vous qui sont dans la confidence...

Sarah bondit et se retourna vers lui.

— Dans ce cas, cherchez le numéro dans l'annuaire! Mes bureaux sont dans la Cinquantième Rue!

Il sourit, imperturbable.

— Naturellement!

— Je suis Sarah Blackstone! Je peux vous montrer mon permis de conduire!

Cela sembla le convaincre. Il se frotta le menton d'un air songeur. Soudain, il dressa son index et ses yeux brillèrent.

— Vous êtes vraiment étonnante, Sarah, fit-il en secouant la tête et en posant ses mains sur ses genoux. Très bien, vous êtes Sarah Blackstone. Vous connaissiez l'existence du cimetière, vous avez entendu dire que j'avais acheté cette propriété pour mes parents quand ils ont pris leur retraite, et vous avez décidé d'en profiter pour faire ma connaissance. Très adroit de votre part.

Sarah soupira.

— Je vais essayer une nouvelle fois, grommela-t-elle en se mettant à marcher de long en large devant lui, les bras croisés. Je m'intéresse depuis longtemps à l'histoire des Blackstone et je voudrais faire leur arbre généalogique. Or, avec toutes mes responsabilités, qui se sont encore accrues depuis un an, j'ai très peu de temps à consacrer à cette passion.

— Pourquoi toutes ces responsabilités?

Elle s'immobilisa.

— A cause de la tragédie des Blackstone, dit-elle d'un air sombre. Je suis jeune, monsieur Craig, c'est vrai, pour occuper une telle position au sein de la compagnie, mais il y a une raison à cela. Il y a cinq ans, mon père et mon oncle sont morts à la suite du naufrage de leur voilier. Mon frère et moi étions alors les seuls à être capables de reprendre en main la société et à désirer le faire. Nous nous sommes donc mis au travail.

L'histoire était en fait plus compliquée que cela, mais Sarah n'entra pas dans les détails. Si Brad voulait en savoir plus, il pouvait compulser n'importe quel journal ou magazine de cette époque. Elle lui avait résumé cette journée terrible et ses conséquences, qui avaient complètement transformé son existence. Il lui fit signe de poursuivre.

— Il y a quelques semaines, j'ai entendu parler de ce cimetière et de la propriété. J'ai donc contacté les propriétaires actuels, vos parents, et ils ont consenti à m'accueillir quelques jours pour me permettre de faire des recherches. Je leur ai dit qui j'étais, et eux, ils m'ont crue.

Elle s'interrompit et regarda Brad. Une lueur amusée brillait dans ses yeux.

— Papa et maman sont ainsi. Continuez.

Elle s'efforça de rester calme et reprit :

— N'étant pas passionnée par le football, je ne savais pas que leur fils était, ou disait être, un joueur professionnel. J'ignorais également qu'ils avaient une fille, et à plus forte raison qu'elle attendait un bébé. Et surtout, je ne savais absolument pas que je finirais par essayer d'expliquer tout cela à un grand type lubrique, impossible et souriant, qui refuse de croire un mot de ce que je lui dis!

Brad croisa ses bras sur sa poitrine puissante, ses yeux sombres toujours amusés, et répondit finalement :

— Voyons, Sarah, je ne crois pas vous avoir regardée d'une manière lubrique.

« Oh, mon Dieu! » se dit Sarah. Elle se sentit rougir, puis pâlir. L'avait-elle vraiment traité de lubrique? Elle fit demi-tour dans l'herbe et s'éloigna vers la maison, n'importe où, pour échapper à Brad Craig.

— Si vous avez si peu de temps à consacrer à vos loisirs, pourquoi êtes-vous venue jusqu'ici en bicyclette? demanda Brad sans se soucier de sa réaction. Pourquoi ne pas avoir demandé à une étudiante sans le sou de venir ici noter les informations figurant sur les pierres tombales?

— Je suis en vacances! répliqua-t-elle sans se retourner.

— Eh bien, c'est une drôle de manière de passer

des vacances, Sarah. Je pensais qu'une présidente de compagnie aussi jolie et élégante que vous aurait plutôt choisi Paris ou Rome pour passer des vacances.

Elle refusa de lui fournir une explication. C'était inutile. Sa propre mère ne l'avait pas crue quand elle avait exposé son projet. Dans ces conditions, comment cet homme qui refusait d'accepter son identité pourrait-il lui faire confiance? Elle continua à marcher.

Brad la suivit. Il la rejoignit rapidement, faisant un pas chaque fois que Sarah en faisait deux.

— J'ai commis une erreur, dit-il en voyant le regard irrité de la jeune femme. Finalement, vous n'êtes pas si élégante. Je ne connais pas de présidentes de sociétés ni de femmes élégantes qui s'éloigneraient en permettant à un homme lubrique de regarder leur postérieur humide. Ce n'est pas élégant, Sarah.

— Voulez-vous arrêter?

Plus exaspérée que vraiment furieuse, elle se retourna et lui prit le poignet, serrant de toutes ses forces les muscles d'acier.

— Pas mal, fit-il en regardant son bras prisonnier. Vous êtes assez rapide.

— Rapide, mais inefficace, grommela-t-elle, et, sans relâcher son étreinte, elle soupira. Brad...

— Je sais ce que vous allez dire. Vous ne voulez pas que je vous touche, c'est bien ça?

Pensant qu'il parlait sérieusement cette fois, elle hocha gravement la tête. Si elle insistait, il devrait tôt ou tard croire ce qu'elle disait. Mais quand elle leva les yeux, elle constata que Brad réprimait à grand-peine un sourire. Il ne la croyait toujours pas!

Elle reprit sa respiration.

— Je vous interdis de me toucher!

— Bien sûr, Sarah.

Il jeta un regard significatif sur son poignet, où les doigts de la jeune femme s'attardaient beaucoup plus longtemps que nécessaire. Elle s'écarta brusquement, comme si cette étreinte l'avait soudain brûlée. Il sourit, content de lui.

Elle ouvrit de nouveau la bouche pour s'expliquer, mais elle surprit dans les yeux sombres une lueur qui n'y était pas auparavant. Il l'examinait attentivement, les paupières mi-closes. Elle l'observa à son tour. Ni l'un ni l'autre ne voulait se détourner. Le soleil donnait des reflets presque dorés à ses cheveux bruns, et faisait également ressortir ses traits burinés. La cicatrice au-dessus de son œil gauche donnait l'impression qu'il fronçait le sourcil.

Elle était prête à croire qu'il était footballeur. A cet instant, elle aurait cru tout ce qu'il aurait pu dire. Elle ne pouvait quitter son visage des yeux. Il était à la fois rude et honnête, et la profondeur des sentiments qu'il dégageait aurait fasciné Sarah pendant des heures, ou même des années.

Que voyait-il dans le visage de la jeune femme, dans ses yeux? L'étrange solitude qui l'avait envahie, le besoin de compagnie? Pouvait-il lire le mensonge? Elle avait en effet envie qu'il la touche. C'était très simple, et indéniable. Elle voulait aussi le caresser, se fondre dans ses bras, et oublier sa réserve habituelle, ne fût-ce que pour un instant. Elle avait envie de s'abandonner. « Et pourquoi pas? » se dit-elle. N'était-ce pas pour cela qu'elle était venue dans cette région? Pour trouver l'équilibre entre le travail et l'amusement, entre la liberté et les responsabilités?

— Sarah...

Sa voix était douce, à peine plus forte qu'un murmure. Elle sourit presque tristement. Elle supposait qu'elle devait dire quelque chose de froid et de bref, mais ne trouva pas les mots. Brad lui effleura la joue, puis ses doigts glissèrent vers le cou de la jeune femme. Elle ne s'écarta pas.

— Oh, Sarah.

Les yeux légèrement brillants, comme s'il s'en voulait de se comporter ainsi, il approcha ses lèvres de celles de Sarah, s'immobilisant juste avant de la toucher. Elle aurait pu s'éloigner, mais n'en fit rien. Elle garda le silence, cessa même de respirer, et la main toujours dans le cou de la jeune femme, Brad posa ses lèvres sur les siennes.

Il avait des lèvres chaudes, séchées par le soleil et le vent, et très douces. Sarah ferma les yeux et se laissa emporter par ce baiser.

Il la prit par la taille et l'attira contre lui. Le corps de la jeune femme se moula au sien, et elle commença à se détendre, à chasser sa réserve à ce contact. Son baiser s'intensifia. « Brad, Brad, où étais-tu pendant tous ces mois, toutes ces années? » songea-t-elle en s'abandonnant complètement.

Brad remonta ses mains le long du corps de Sarah, s'arrêtant sur sa poitrine, et il comprit à sa réaction qu'elle avait soif de ses caresses. Il interrompit doucement son baiser, et se redressa.

— Je pense que vous n'êtes peut-être pas celle que j'imaginais, Sarah Blackstone, dit-il doucement.

Il n'y avait plus cet éclat rieur dans ses yeux, ni ce sourire sur ses lèvres. Il avait du mal à respirer, aussi troublé que Sarah pouvait l'être elle-même.

— Soit vous êtes une très bonne actrice, soit vous êtes sincère... J'ai été trompé tant de fois... Je suis peut-être stupide, Sarah, mais j'aimerais vous connaître mieux.

Sarah respira profondément, s'efforçant de calmer les sentiments qu'il avait éveillés en elle.

— Mieux me connaître telle que vous me voyez, ou telle que je suis vraiment? demanda-t-elle. Je ne suis pas du tout sûre que vous ayez gagné le droit de me connaître, Brad Craig.

Il fronça les sourcils, surpris, et éclata de rire brusquement. Soudain, il pointa son index sur la joue de la jeune femme, puis sur son autre joue.

— Des fossettes! s'exclama-t-il, ravi. Maintenant, dites-moi si vous connaissez beaucoup de P.-D.G. qui ont des fossettes!

— Ce n'est pas ma faute si j'en ai! Je... je... Vous êtes impossible! gronda-t-elle.

Il se mit à rire.

— Dînez avec moi ce soir, Sarah, et vous pourrez m'apporter les preuves de votre identité.

— Vous plaisantez! Après ce qui vient de se passer?

Elle secoua la tête. Il était bien trop tard pour

prétendre que son baiser l'avait offensée, mais elle n'avait pas à lui avouer que ses genoux en avaient tremblé, en tremblaient encore.

— Euh, euh... pas question. Je vais aller en ville, je trouverai un restaurant, et...

— Il n'y a pas de restaurant à quinze kilomètres à la ronde, coupa-t-il. Êtes-vous certaine que vos muscles fatigués supporteraient une promenade de trente kilomètres? Je pourrais vous prêter ma voiture, mais je préfère que vous restiez avec moi. Vous êtes drôle, Sarah.

Son sourire sensuel était revenu. Sarah serra les lèvres et fit appel à toute la détermination et à toute la retenue que lui avait apportées son éducation chez les Blackstone. L'idée d'un dîner en tête à tête avec cet homme, après le baiser enivrant qu'ils venaient de partager, était très tentante. « Tu es folle, Blasckstone? »

— C'est que... je... Je ne voudrais pas vous déranger, Brad.

— Vous ne me dérangerez pas du tout. Écoutez, le cuisinier de mes parents doit venir, de toute façon. Il pèse cent dix kilos, et utilise un couperet de la taille d'une hache. Alors, ma chérie, si je fais quoi que ce soit qui vous déplaît, vous...

— Grossier personnage! D'accord, d'accord, je viendrai, dit-elle, se ravisant.

— Bien. Au travail, madame la présidente.

Elle chassa sa main et ouvrit la bouche pour protester, mais la silhouette puissante et agile redescendait déjà la colline. Sa démarche était légère et insouciante. La démarche d'un vainqueur. Sarah fronça les sourcils. Mais quelle victoire croyait-il avoir remportée? Elle secoua la tête, indécise, et retourna vers le cimetière.

4

LE soir, Sarah trouva Brad sifflotant et chanton-
nant tandis qu'il coupait des légumes sur le comptoir de la cuisine. Elle s'éclaircit la gorge tout en
réprimant un sourire, et se croisa les bras. Il la
regarda d'une manière directe qui lui rappela son
baiser, son charme, tout ce qui la poussait à sourire
et à être satisfaite de ne pas pédaler en direction
d'un restaurant.

— Vous n'êtes pas si gros, fit-elle.

— En effet, je pèse un peu moins de cent dix kilos,
mais je suis un cordon bleu, répondit-il en haussant
les épaules.

Sarah se souvint de ces œufs qu'elle avait eu du
mal à avaler, puis des toasts merveilleux. Le doute se
peignit sur son visage. Elle sourit et fronça les
sourcils.

— En réalité, j'ai mes spécialités, reconnut Brad.
Le poulet à l'estragon et au citron, et tous les plats
rissolés. On dit même que je suis capable de préparer de vieux lacets farcis!

Sarah ne put réprimer un sourire.

— Ne vous inquiétez pas, vous aurez droit au
poulet à l'estragon, fit-il en recommençant à couper
ses légumes.

— De l'estragon frais?

— Oui. Je ne sais pas pourquoi, mais cette année
le jardin en est plein. Vous ne sentez pas l'odeur?

Elle renifla, et perçut en effet la senteur agréable
de cette herbe.

— Je ne devrais pas douter de vos capacités,

n'est-ce pas? fit-elle en s'approchant de Brad. Puis-je vous aider? Si j'avais su que votre cuisinier n'existait pas...

— Vous ne seriez pas venue, termina-t-il.

— Est-ce qu'une femme qui a parcouru cent vingt kilomètres à bicyclette dans le seul but de vous rencontrer refuserait une invitation à dîner?

Il la regarda, son couteau suspendu dans les airs.

— Non, je suppose que non, répondit-il, mais avant que Sarah ne batte des mains en signe de victoire, il reprit : Cependant, une femme qui voudrait à tout prix me faire croire le contraire pourrait refuser une invitation à dîner afin de me surprendre. Et je vous signale que vous êtes venue.

Il la regarda avec des yeux si francs et si admiratifs que Sarah oublia rapidement sa colère. Elle dut faire un effort pour tenir sur ses jambes en coton. Elle posa une main sur le comptoir. Elle avait pris un bain et s'était vêtue d'un chemisier à rayures rouges et de la jupe blanche qu'elle avait apportée « pour le cas où... » Ses pieds nus dans ses sandales complétaient sa tenue décontractée, mais elle avait pris du temps pour se coiffer, et ses cheveux étaient lustrés. Elle avait également appliqué un léger maquillage sur son visage.

— Dans ce cas, pourquoi ne pas avoir répondu à mon bluff? fit-elle. Vous auriez sans doute été amusé de savoir que je parcourais la campagne à la recherche d'un restaurant.

Il acheva de couper les légumes.

— Pour deux raisons. Tout d'abord, j'ai compris votre stratagème, et vous le savez, alors pourquoi me poser des questions? Ensuite... Je veux vous connaître mieux, qui que vous soyez. C'est pourquoi je vous ai invitée.

— Très aimable à vous.

Mais une pression soudaine au creux de son estomac avait effacé la froideur de son ton. Elle perdait son sang-froid. Sa gorge se serra tandis qu'elle s'imaginait posant sa tête sur cette poitrine puissante et parcourant des mains sa chemisette fine. Elle se mordit la lèvre. Il se moquait d'elle pour la prendre au piège.

Elle passa sa langue sur ses lèvres sèches, mais baissa les yeux vers son pantalon léger qui dissimulait à peine ses cuisses musclées — les cuisses d'un athlète.

— Je... Vous... (Elle soupira, ennuyée par sa propre réaction.) Que puis-je faire pour vous aider?

Il désigna un carton de lait plein d'épluchures.

— Vous pouvez porter ça sur le tas de compost derrière la maison.

— Avec plaisir.

Elle espérait ne pas paraître trop soulagée en prenant le carton et en se précipitant vers la porte. A l'extérieur, elle respira l'air frais de la nuit, si doux et si réconfortant. « Il faut que cela cesse », se dit-elle. En quelques minutes, Brad Craig avait tendu ses nerfs d'une manière insupportable. Tout son corps semblait vibrer dès qu'elle pensait à lui. Elle entendait les battements précipités de son cœur.

Elle se dirigea vers le jardin. Brad Craig voulait provoquer cette réaction, elle devait lui résister. Il savait très peu de choses sur Sarah et refusait même de les croire, mais elle ne pouvait ignorer son charme extraordinaire.

Quand elle avait été lasse de se tenir à genoux devant les pierres tombales de ses ancêtres, Sarah était partie faire une longue promenade dans les champs et les bois de l'ancien domaine des Blackstone. En écoutant les oiseaux chanter et les écureuils courir de branche en branche, elle avait essayé de réveiller en elle un sentiment de colère en songeant à l'ironie de Brad et à ses regards incrédules. Mais elle l'avait imaginé dans le costume d'un footballeur et s'était demandé si lui aussi ne mentait pas au sujet de son identité... Mais sa position de P.-D.G. et la profession de Brad avaient-elles de l'importance?

Après sa promenade, elle était remontée dans sa chambre sans le voir. Elle avait essayé de lire. Elle avait essayé de dormir. Elle avait essayé de se convaincre que leur dîner n'avait rien d'un rendez-vous romantique. Elle était venue pour se détendre et faire le point sur sa vie, pas pour jouer aux devinettes avec un homme, aussi merveilleux et séduisant que fût Brad Craig.

Et pourquoi pas? Elle s'était posé cette question maintes fois. Pourquoi pas? Elle avait le sentiment d'avoir attendu toutes ces années simplement pour se retrouver à cet endroit et faire irruption dans la vie de Brad. Leur rencontre aurait pu être organisée par les dieux, ou du moins par la vingtaine de Blackstone enterrés dans la propriété. Pourquoi lutter? « Oh! s'était-elle dit, je suis stupide. C'est ce cadre enchanteur, ou la fièvre du printemps, avec un peu de retard. »

Cependant, elle avait pris un long bain chaud, parfumant l'eau à l'aide de sels de bain laissés par Dorothy Craig. Elle avait évoqué la facilité avec laquelle elle pourrait oublier ses responsabilités écrasantes en compagnie de Brad Craig, elle les oubliait tous, eux et ce qu'ils attendaient d'elle, et ce qu'elle attendait d'elle-même.

Mais ce n'était pas le but de son aventure solitaire à bicyclette! Elle aurait voulu parvenir au même résultat toute seule. Elle ne pouvait ni s'appuyer sur quelqu'un ni attendre qu'un autre agisse pour elle. Elle devait se reprendre et retrouver ses esprits. Personne ne pouvait faire cela à sa place, surtout pas un homme qu'elle ne connaissait que depuis vingt-quatre heures!

Elle était descendue en doutant fort de trouver un cuisinier de cent dix kilos, et avait été enchantée de revoir Brad. Elle se sentait à l'aise en sa compagnie, comme si elle le connaissait depuis des années. Il faisait partie de ces hommes qui détendent immédiatement l'atmosphère autour d'eux. Elle se demanda combien d'inconnus lui avaient raconté leur vie spontanément.

Elle retourna le carton sur le fumier. « Sarah, se dit-elle, si cet homme est vraiment un joueur de football, des milliers de femmes doivent lui tomber dans les bras. » Elle secoua le carton. « Les athlètes séduisants peuvent se permettre d'être charmants.

Pense à toutes les femmes qu'il a conquises au fil des années. Il se contente de deviner ce que tu cherches et de te le procurer. »

Il se trompait lourdement sur son compte. Elle retourna vers la maison. Brad dressait la table : une assiette de céramique, une fourchette, une cuiller et un couteau pour chacun. L'une des assiettes se trouvait face à une chaise à l'extrémité de la table, l'autre étant sur le côté, devant le banc. Avec ses longues jambes et l'étroitesse de la table, se dit Sarah, leurs genoux se toucheraient pendant tout le repas. Elle soupira et jeta le carton de lait dans la poubelle.

— Ce n'est pas très romantique, fit Brad, mais ça ira. Si vous voulez des bougies, je suis sûr que vous en trouverez quelques-unes dans la salle à manger.

— Non, non, c'est parfait ainsi.

— Parfait? Vous êtes épatante, Sarah. Asseyez-vous, je vais vous servir. Vous devez y être habituée, n'est-ce pas?

Il la taquinait de nouveau au sujet de ce qu'elle lui avait raconté de sa vie. Sarah tira le banc et s'assit.

— En fait, fit-elle froidement, vous avez raison.

Il continua à rire en servant le dîner : son poulet à l'estragon, des pommes de terre nouvelles saupoudrées de persil, des carottes et des civettes, et une salade d'épinards frais. Enfin, se dit-elle, pourquoi faut-il qu'il soit si admirable? Elle se sentait prête à succomber à cet homme séduisant, souriant, arrogant, et... charmant.

Elle frissonna.

Finalement, Brad s'installa. Son genou droit toucha le genou gauche de Sarah. Discrètement, avant que les vibrations n'envahissent le reste de son corps, elle s'éloigna de quelques centimètres sur le banc. Quand elle leva les yeux, Brad la regardait. Il ne plaisantait plus. Elle se demanda ce qu'était devenu son sourire, et surtout par quoi il avait été remplacé.

Elle désigna vaguement les plats contenant la nourriture.

— Tout cela fait un dîner agréable, n'est-ce pas, dit-elle, un peu mal à l'aise. Un jour, j'ai préparé un menu comportant du poisson grillé, des pommes de terre bouillies, et du chou-fleur au fromage. Cela n'avait rien d'enchanteur, mais heureusement, Mme Friedrich s'en est aperçue, et...

Son bavardage s'interrompit quand elle vit les yeux de Brad se plisser brusquement. Sa cicatrice semblait accroître le froncement de ses sourcils. Son regard était sombre et pénétrant, et Sarah l'imagina essayant d'intimider l'équipe adverse avec ce même regard. Ne disait-on pas que les footballeurs avaient un regard terrifiant, comme celui-ci?

— Qui êtes-vous, Sarah?

Sa question la surprit. Elle eut un rire stupide.

— Je me posais la même question à votre sujet. Je vous ai déjà dit qui je suis. Je vous l'ai répété plusieurs fois.

Elle s'arrêta, gênée par sa nervosité. Elle lui adressa un sourire sarcastique, mais sentit ses mains trembler.

— Vous êtes vraiment persévérante, non? Si vous cherchez à me tromper, Sarah Blackstone, autant renoncer immédiatement, vous m'entendez? Je me souviens de ce genre de choses et je me venge toujours.

Le regard menaçant et le froncement de sourcils avaient disparu, mais Sarah sentait le sérieux et la détermination que cachaient ses mots. Elle haussa les épaules pour lui montrer qu'elle n'était pas intimidée.

— Monsieur Craig, si je n'étais pas affamée, je vous jetterais ce plat de carottes sur les genoux, s'indigna-t-elle en disposant six petites carottes dans son assiette. Vous pouvez choisir de ne pas croire ce que je dis. Je suppose que c'est votre droit. Mais vous n'avez pas à formuler des accusations sans fondement. Je ne cherche pas à vous tromper. D'après ce que je vois, monsieur Craig, vous n'avez pas besoin de mon aide pour vous tromper.

Il ne rit pas. Il ne bondit pas non plus en la prenant par l'oreille pour la jeter dehors. Il ne hurla pas de colère. Il se contenta de pencher la tête de côté et de la regarder avec un mélange de respect et d'incrédulité teintés d'amusement. Sarah lui sourit et lui demanda le plat de pommes de terre.

Avec leur café, ils prirent un dessert, des framboises fraîches, sur la terrasse. Brad s'assit sur la rambarde de protection, et Sarah sur une chaise pliante. Leur animosité s'était éteinte dès la première bouchée de poulet à l'estragon. Elle avait insisté pour que Brad lui explique comment il avait fait pousser ce condiment et lui en avait demandé un plant qu'elle repiquerait sur la terrasse supérieure de sa maison de Manhattan. Brad avait résisté à l'envie de lui demander ce qu'une femme perdant sa lentille de contact dans une flaque d'eau pouvait faire dans une maison avec terrasse à Manhattan, mais lui avait dévoilé sa recette de poulet. A son tour, elle lui avait expliqué tout ce qu'elle avait découvert, dans le cimetière des Blackstone à propos de sa famille.

Alors que le ciel prenait une teinte orangée à l'horizon, derrière lui, Brad regarda Sarah et lui sourit.

— Allons, Sarah, dites-moi exactement pourquoi vous êtes venue jusqu'ici.

— Pour voir les tombes des Blackstone.

— Ce n'est qu'un prétexte, fit-il. Quelle est la vraie raison?

Elle baissa les yeux et joua avec ses framboises. Elles étaient douces et sucrées, parfaites pour terminer un repas aussi merveilleux. Brad avait déclaré les avoir cueillies dans l'après-midi. Elle songea à cela tout en cherchant une réponse à sa question. Elle le connaissait depuis moins de vingt-quatre heures. Devait-elle vraiment lui faire des confidences?

Brad ne comprenait pas son silence.

— Vous auriez parcouru seule cent vingt kilomètres simplement pour voir un cimetière où des Blackstone, qui sont ou ne sont pas vos ancêtres, sont enterrés dans un domaine appartenant à des personnes que vous ne connaissez pas! Il y a certainement autre chose. Pourquoi ne pas venir en voiture? Ou au moins vous faire accompagner de quelqu'un? Pourquoi venir seule? Et d'ailleurs, pourquoi prendre la peine de venir?

Sarah bondit sur ses pieds, espérant sembler furieuse, et non pas paniquée, et s'efforça de lui adresser un regard glacial. Il lui sourit malicieusement en mâchant ses framboises. « Il sait l'impression qu'il me fait », se dit-elle.

— Je pensais que ce serait une aventure intéressante, fit-elle sans grande conviction.

— Ce n'est pas tout, Sarah, reprit-il en secouant la tête.

— C'est suffisant, répliqua-t-elle d'une voix égale. Pour que je vous donne d'autres raisons, il faudrait au moins que vous me croyiez quand je vous dis qui je suis.

Brad la regarda tourner le dos et rentrer dans la cuisine avec ses framboises et son café. Sa première impulsion fut de la rattraper et de la prendre dans ses bras en lui disant que tout cela était sans importance. Elle le fascinait, il la désirait, et peu lui importait de savoir qui elle était et pourquoi elle était venue. Mais il la sentait perturbée, et pas seulement par l'idée de ce qu'il pouvait croire ou ne pas croire. Il se dit qu'il avait dû toucher son côté le plus sensible et le plus déterminé. Elle avait besoin de rester seule quelques minutes. De plus, il savait ce qu'elle trouverait dans la salle à manger...

A l'intérieur, Sarah soupira et décida finalement de ne pas monter immédiatement dans sa chambre. Elle était trop fatiguée et trop intéressée par cet homme. De plus, sa colère n'était pas suffisante pour lui permettre d'oublier complètement Brad. Elle se dirigea vers la salle à manger, regrettant déjà de s'être emportée comme elle l'avait fait. Comment avait-il pu deviner combien ses questions allaient la bouleverser?

Le charme rustique de la pièce commença immédiatement à apaiser ses nerfs tendus. Elle se dirigea vers le canapé confortable, examinant les tentures aux couleurs chaudes qui ornaient les murs. Ses yeux se dirigèrent vers la fenêtre étroite qui donnait sur la terrasse. Elle n'avait que deux pas à faire pour le voir. Elle leva un pied...

Non! Elle reposa son pied et se tourna, puis elle s'immobilisa brusquement. Elle se trouvait face à un agrandissement de la première page du *New York Times* ornée de la photo d'un joueur de football. Elle remarqua d'abord le sourire; puis, les yeux sombres et rieurs; les cheveux épais et désordonnés; couvert de boue.

— Oh, mon Dieu!

Elle lut le commentaire : « L'équipe des New York Novas remporte la finale du championnat par 31 à 14 » et, en caractères plus petits : « Magic Craig marque douze points à lui seul. »

Sarah fit la grimace.

— Maintenant, je me souviens.

Elle se revoyait à son bureau, par une matinée froide de janvier, lisant le *New York Times* comme elle le faisait religieusement chaque jour. L'équipe de New York venait de remporter la finale du championnat. Sarah n'avait pas regardé le match, mais, vivant à New York, elle avait naturellement appris que l'équipe de la ville avait gagné. Elle avait même vaguement parcouru l'article.

Magic Craig. S'il s'était présenté sous son surnom, elle se serait peut-être souvenue plus tôt. Maintenant, face à ce visage charmant et à ce sourire victorieux, ses souvenirs étaient très nets. Il n'avait pas menti. Brad faisait bien partie de l'équipe de New York.

— Bonne photo, n'est-ce pas? dit-il derrière elle.

Sarah se retourna et le vit adossé à la porte. Son cœur battait à toute vitesse. C'était bien Brad « Magic » Craig! « Oh, mon Dieu, se dit-elle, dans quelle situation me suis-je mise... »

Il lui adressa son plus charmant sourire.

— Je voulais gagner le championnat simplement pour que ma photo paraisse en première page des journaux.

— Je... j'aurais dû vous reconnaître.

Elle se passa la main dans les cheveux. Tout était

de la faute de son frère. Il aurait dû lui dire que les nouveaux propriétaires du domaine des Blackstone étaient les parents d'un héros sportif. Il était certainement au courant! Elle soupira avec irritation.

— J'aurais dû me souvenir. J'avais lu cet article, et vu votre photo il y a six mois. Votre nom me semblait familier, mais je ne pouvais pas croire... Vous êtes bien Brad Craig.

Il claqua des talons et s'inclina.

Sarah gémit et s'effondra sur le canapé. Tous ses mots lui revenaient : « Certaines personnes ont fait des choses bien plus surprenantes pour me rencontrer... Ce genre d'exercice, avec moi, serait très mauvais pour vos jambes... »

— Oh, mon Dieu, non! Je suis prisonnière, en pleine nature, avec un joueur de football, une brute qui a la grosse tête!

Elle eut un rire nerveux.

Le mouvement des coussins l'avertit que Brad s'était assis près d'elle. Elle glissa un regard entre ses doigts et aperçut les longues jambes qui reposaient sur une petite table de pin. Il s'adossa confortablement.

— Je n'ai rien contre le terme de brute, dit-il gaiement, sachant que Sarah n'avait pas voulu l'insulter, mais je crois que je préfère athlète. Brute n'est pas très flatteur.

Sarah leva la tête, mais ne s'adossa pas. Sa cuisse droite touchait celle de Brad, mais si elle se déplaçait, elle lui ferait comprendre qu'elle l'avait remarqué.

— Je voulais simplement me moquer de vous, dit-elle, pas vous insulter, même si vous m'avez vous-même insultée en supposant que j'avais préparé mon arrivée d'hier soir simplement pour vous rencontrer. Brad, vous êtes peut-être un célèbre footballeur, mais honnêtement, je ne vous avais pas reconnu. De plus, je suis une Blackstone. Si j'avais voulu vous rencontrer, je vous assure que j'aurais pu le faire sans recourir à un stratagème aussi humiliant.

Il rejeta la tête en arrière et éclata de rire. Sarah

serra automatiquement le poing et l'appliqua contre son estomac, aussi dur que de l'acier. Elle se fit mal à la main.

— Cessez de vous moquer de moi !

Il leva la tête et la regarda.

— Querelleuse, hein ?

Son sourire s'élargit, et il lui prit le poignet entre ses doigts. La main de Sarah, qui semblait si petite auprès de la sienne, était toujours crispée.

— Si vous voulez donner des coups de poing, Sarah, au moins, faites-le convenablement. Placez votre pouce dans la paume, — non, pas sur les doigts — à l'intérieur, et recouvrez-le de vos doigts. Si votre pouce est au-dessus, vous risquez de le casser. Surtout si vous vous attaquez à un dur de mon espèce.

— Je... je m'en souviendrai, répondit Sarah.

Sa grande main s'attarda sur celle de la jeune femme, lui transmettant sa chaleur et son calme.

— Et si vous voulez frapper quelqu'un, reprit-il, frappez vraiment, puis fuyez, au cas où il tente de répliquer.

Sa main était arrivée au niveau du poignet de Sarah.

— Je voulais simplement attirer votre attention.

Son sourire s'élargit et sa main se referma sur son poignet.

— C'est bien ce que je pensais. Vous avez réussi à retenir mon attention, dit-il en l'attirant doucement vers lui, les yeux brillants et amusés. Maintenant, vous devez en assumer les conséquences.

— Brad, je n'ai pas à assumer quoi que ce soit, vous savez, fit-elle, amusée. Je suis...

— Je sais, vous êtes une Blackstone, coupa-t-il. Et les Blackstone n'ont pas à se soucier des grandes brutes sexy qui ont la grosse tête. Eh bien, Sarah Blackstone, je suis un grand footballeur, et je n'ai pas à me soucier des jolies jeunes femmes qui me donnent des coups de poing dans le ventre. Nous nous comportons comme des enfants, n'est-ce pas ? Vous luttez alors que vous savez que j'ai envie de vous embrasser et que je sais que vous avez envie que je vous embrasse. Alors...

Il relâcha son emprise une fraction de seconde. Sarah bondit et contourna la table basse.

— Un instant! s'exclama Brad en la prenant par les hanches pour l'attirer de nouveau vers lui. Allons, mademoiselle, dites-moi que je me trompe, mais ne bondissez pas ainsi comme un écureuil effrayé! Vous ne voulez pas que je vous embrasse?

Elle se retrouva plaquée contre lui, son bras puissant lui encerclant la taille, prisonnière entre ses longues jambes et ce bras incroyable. Il lui aurait fallu faire un effort trop important pour se redresser et se dégager, et elle se laissa retomber en riant contre sa poitrine puissante.

— Mais si, mais si, je veux que vous m'embrassiez! admit-elle. Mais je...

Il n'avait pas besoin d'être encouragé davantage. Il la renversa dans ses bras avec douceur et posa ses lèvres sur les siennes. Il ne souriait plus, et il n'y avait plus cet éclat joyeux dans ses yeux sombres; simplement de la détermination et du désir quand il effleura les lèvres de Sarah.

— Mmmmm... murmura-t-il entre deux baisers légers qui réveillèrent les sentiments de la jeune femme. Je ne voulais faire que cela toute la soirée, Sarah, mon amour. Chaque fois que je regardais vos lèvres, je rêvais de cet instant.

« Sarah, mon amour... » Cela semblait si naturel, prononcé sans artifice ni affectation, si parfait.

— Je... je ne savais pas.

Elle fondit dans ses bras et faillit lui crier de s'arrêter tandis qu'il effleurait des lèvres la bouche de Sarah. Elle voulait l'embrasser passionnément, et n'aurait pas échangé cet instant contre tout l'or du monde.

— Vous nous connaissez, nous les durs footballeurs, dit-il si près de sa bouche qu'elle sentait sa respiration chaude contre elle. Nous savons nous retenir.

Elle rit, et il sentit à son tour son souffle chaud et sensuel sur sa bouche.

— Vous voulez dire que vous avez déjà vu un footballeur...

Brad émit un son grave et incrédule.

— Mais tout à fait, Miss.

Il posa solidement les pieds sur la table basse, redressant ses genoux, et cala Sarah contre sa poitrine. Elle sentit sa jupe remonter sur ses cuisses. Elle était à sa merci maintenant, entre sa poitrine et ses jambes puissantes. Et soudain, elle se dit qu'aucun endroit au monde ne lui semblait plus accueillant. Elle était au paradis.

— J'ai besoin de ça, murmura-t-elle, la tête penchée vers lui, buvant des yeux chaque ligne de son visage. J'ai besoin de vous.

Besoin! Venait-elle de parler tout haut? Venait-elle d'avouer les sentiments qui la hantaient depuis vingt-quatre heures? J'ai besoin de vous! Il ne croyait même pas qu'elle s'appelait Blackstone, alors, comment pouvait-il comprendre ce qu'elle voulait dire, et ce que ces simples mots lui avaient coûté? Ils avaient semblé venir si facilement, mais ce n'était qu'une illusion. Sans ces années de souffrance, de travail et de sacrifices, elle ne les aurait peut-être même pas prononcés. Si elle avait rencontré Brad Craig six ou sept ans plus tôt, elle l'aurait peut-être considéré simplement comme une grande brute, et donc un être inutile. Mais maintenant, les choses étaient très différentes. Il était là, présent, dans son esprit comme dans son subconscient, et elle avait besoin de lui. Il était si chaleureux, si honnête... et si sensuel. Le simple fait de le regarder lui donnait des frissons et elle mourait d'envie de sentir ces mains calleuses mais douces sur son corps.

Sa vue brouillée ne l'empêchait pas de voir la cicatrice qui s'était abaissée d'une manière significative. Elle arrêta de respirer.

— Je ne mens pas, fit-elle d'une voix affaiblie et précipitée, mais pleine de franchise.

Brad posa les jambes de la jeune femme sur le canapé et se mit à lui caresser doucement le creux des genoux. Il voyait un reflet de vérité dans ses yeux, ainsi que cet étrange mélange de vulnérabilité et de détermination. Elle semblait vouloir le convaincre, tout en craignant qu'il ne la croie pas. Mais comment pouvait-il douter de la sincérité de ses paroles?

Brad se dit qu'elle avait menti au sujet de sa situation.

C'était peut-être l'explication de sa vulnérabilité. Elle avait inventé cette histoire de présidente de société pour l'impressionner. Mais c'était elle qui l'intriguait, et non sa fortune présumée. Il voulait la connaître vraiment, mais sentait qu'elle n'était pas l'une de ces femmes intrigantes et fausses qui aimaient raconter leurs aventures amoureuses dans les journaux. Il n'y aurait pas d'article signé Sarah Blackstone racontant sa rencontre avec Magic Craig et les heures passées en sa compagnie.

Était-ce vraiment certain? Il s'était laissé surprendre bien des fois dans le passé.

Le contact de la peau de la jeune femme lui procurait une sensation qu'il n'avait encore jamais connue. Brad la contempla, entre ses bras. Elle était si élégante, si délicate, et pourtant si dure. « Je ne peux pas douter d'elle! » songea-t-il.

— Je sais que vous ne mentez pas, fit-il enfin.

Il étouffa le soupir de soulagement de Sarah par un nouveau baiser. Il sentit sa prudence le quitter. Elle s'abandonnait... Il voulait l'embrasser encore et l'aimer, mais ressentait en même temps un désir impérieux de ne pas la faire souffrir. Il était si habitué aux femmes qui s'offraient à lui sans condition... Mais Sarah était différente, elle semblait tout exiger, et tout offrir en échange.

Il l'embrassa doucement, de plus en plus passionnément. Puis il essaya de se redresser, mais elle s'accrocha à lui, sans quitter ses lèvres. Sarah poussa un soupir en sentant ce corps musclé contre lequel elle était appuyée.

Elle essaya une nouvelle fois de lui expliquer ses réticences :

— Brad, je ne voulais pas que cela arrive. Je n'avais rien prémédité...

— Cela m'est égal, répondit-il en lui retirant ses lunettes. Cela m'est complètement égal, Sarah.

Il l'embrassa une nouvelle fois, follement, et elle

52

aurait voulu que cet instant durât une éternité. Quand ils s'écartèrent l'un de l'autre, à bout de souffle, ils se sourirent, et Sarah posa sa tête sur l'épaule de Brad. Elle se dit qu'elle allait se laisser emporter par ses sentiments, mais cette fois, elle ne se souciait plus de rien. Elle sentait qu'elle pouvait se contrôler si elle le voulait vraiment, mais n'était pas sûre de le vouloir.

— Je ne comprends pas pourquoi... dit-elle dans un soupir de bonheur et de frustration à la fois.

Elle aurait voulu fuir, mais il la retenait prisonnière de ses bras, si rassurants autour d'elle.

— Sarah, Sarah, fit-il en lui caressant doucement les cheveux, je voudrais vous aimer. Vous ne pouvez pas savoir à quel point. Nous nous connaissons depuis si peu de temps...

Il soupira et s'éclaircit la gorge, puis il la repoussa sur le canapé avant de changer d'avis. Elle sentait son regret, son sang-froid, et elle l'admirait, car elle n'en aurait pas été capable elle-même. Ils restèrent assis l'un près de l'autre, sans se toucher.

Brad lui sourit, sans excuse ni embarras.

— Je me souviendrai de ce baiser pendant les froides soirées d'hiver, dit-il, mais sa voix était voilée. Eh bien, ainsi, vous aurez au moins quelque chose à raconter à vos amis...

Sarah bondit sur ses pieds.

— Pour la dernière fois, je suis... (Elle s'interrompit, les mains sur les hanches.) Non, je ne vais pas le répéter. Vous m'avez dit de vous donner des preuves de mon identité. Eh bien, c'est ce que je vais faire!

— Ne vous inquiétez pas, Sarah, je crois que vous êtes une Blasckstone, fit-il, amusé maintenant. En fait, je crois avoir enfin trouvé qui vous êtes.

— Eh bien, dites-le moi, monsieur Magic. Qui suis-je?

Il réfléchit en se grattant le menton. Oui... cela expliquerait tout...

— Une généalogiste!

Elle soupira, exaspérée.

— C'est bien ça, n'est-ce pas? fit-il. J'ai pensé un

moment que vous étiez une étudiante sans le sou envoyée par cette riche Sarah Blackstone, mais vous prononcez ce nom avec tant de conviction...

— Parce que c'est mon nom!

— Exactement. Avant que je continue, Sarah, dites-moi comment vous avez appris l'existence de cet endroit.

Elle se croisa les bras.

— Vous ne me croirez pas. Pourquoi vous le dire?

— Très bien, fit-il en haussant les épaules. Voilà ce que je pense : il n'y a pas d'industries Blackstone ni de fondation Blackstone. Vous avez inventé tout cela.

— Et pourquoi l'aurais-je inventé?

— Pour m'impressionner. Mais je ne vous en veux pas, Sarah. Je suis même flatté. Quoi qu'il en soit, je pense que vous êtes une généalogiste sans argent, Sarah Blackstone, qui a décidé de partir à la recherche de ses origines. Comme je vous l'ai dit, vous avez beaucoup d'imagination.

— Non, Brad, c'est vous qui avez de l'imagination!

Elle tourna les talons et se dirigea vers la porte.

— Ne vous inquiétez pas, Sarah, cria-t-il avec bonne humeur, je préfère embrasser une jolie femme pauvre qu'une femme riche et laide!

— Voulez-vous cesser de vous moquer de moi? Brad Craig, sachez que j'ai plus d'argent que je ne pourrai jamais en dépenser! ragea-t-elle en tapant du pied.

— Intelligente, et riche, dit-il calmement. Je crois que c'est ma semaine de chance.

Ses plaisanteries elles-mêmes étaient séduisantes et lui donnaient des frissons. Elle parvint à se détourner de lui. Même s'il s'amusait de son « mystère » et ne la croyait pas, elle ne pouvait oublier ce qui venait de se passer. Son corps était encore chaud des caresses de Brad... Mais il était vraiment impossible!

— Dites, vous ne voulez pas m'aider à faire la vaisselle?

Elle commençait à s'éloigner vers le hall, mais s'arrêta net. Il aurait été égoïste et injuste de laisser Brad se charger de la vaisselle après le repas succulent qu'il avait préparé.

— Je m'en occupe, dit-elle sans se retourner. Vous pouvez rester assis et penser à votre caractère insupportable. Une étudiante sans le sou! Une généalogiste! Voyons, Brad!

— Je sais que je suis insupportable. Mais je vais tout de même vous aider pour la vaisselle.

— Non!

Elle ne voulait pas le dire si fort, mais elle ne s'imaginait pas nettoyant la vaisselle à ses côtés, et échangeant des accusations diverses avec lui... pour finir dans ses bras. Non, ce n'était pas qu'elle ne s'imaginait pas dans cette situation. Elle s'y voyait au contraire trop bien. Elle se retourna avec un faible sourire.

— Je peux me débrouiller... Je préfère m'en charger seule.

Il haussa les épaules, mais sans plaisanter cette fois.

— Comme vous voudrez, dit-il, très sérieusement. De toute façon, je déteste faire la vaisselle.

— Eh bien, dans ce cas, nous formons une bonne équipe, parce que je déteste cuisiner.

Elle ne comprit que trop tard ce qu'elle venait d'insinuer. Une équipe? Elle grimaça et se sentit rougir.

— Je veux dire... Je ne voulais pas dire que...

Elle s'interrompit avant de se ridiculiser davantage et s'éloigna rapidement, accompagnée par le rire sonore de Brad. Mais il respecta son désir de solitude. Elle n'avait pas fait la vaisselle depuis de nombreuses années, et cette occupation la décontracta.

Quand elle eut terminé, elle jeta un coup d'œil satisfait à la cuisine. Elle entendait de la musique dans le salon, mais elle se dirigea directement vers l'escalier. Elle ne voulait pas être une nouvelle fois prise au piège de Brad Craig.

Brad resta immobile sur le canapé. Il avait mis un

disque pour oublier le bruit de la vaisselle dans la cuisine, et surtout la présence de Sarah Blackstone. « Je dois être fou », se dit-il. Mais elle lui semblait indispensable dans sa vie, elle semblait être un cadeau de la destinée. Quel idiot! « Tu ne sais même pas qui elle est ni ce qu'elle est venue faire ici, » se dit-il.

S'il la voyait, s'il la touchait une nouvelle fois, il savait qu'il ne pourrait pas se maîtriser. La destinée! Quand il entendit les pas de la jeune femme dans l'escalier, il jeta à terre un magazine qui était sur la table basse. Il ne se sentait vraiment pas héroïque d'avoir su résister!

5

LES démons arrivèrent pendant la nuit. Sarah se redressa dans son lit et réprima difficilement un hurlement. Ce n'était qu'un cauchemar, toujours le même. Les visages de ceux qu'elle avait aimés, son père, son oncle et son fiancé la poursuivaient pendant la nuit. Ils l'avaient hantée pendant des semaines après la tragédie, mais elle avait réussi à les chasser en s'habituant à l'idée de ce qui s'était passé. Maintenant, ils ne revenaient que de temps à autre, toujours de manière inattendue, sans raison apparente.

Elle tremblait, plus de colère que de peur. La lune et les étoiles brillaient par la fenêtre ouverte, projetant des ombres fantomatiques sur le sol. Les démons étaient partis, mais elle savait qu'elle ne retrouverait pas immédiatement le sommeil. Elle se glissa hors de son lit et descendit à la cuisine, uniquement vêtue de sa chemise de nuit transparente.

Généralement, après son cauchemar, elle mangeait et regardait la télévision, mais ce soir, elle avait envie de marcher. Elle sortit dans la nuit. La rosée humide se déposa sur ses pieds et le bas de sa chemise de nuit, mais elle n'y prêta pas attention.

Elle s'arrêta devant le muret de pierre qui entourait le cimetière. Le vent frais lui donnait la chair de poule mais elle ne s'en aperçut pas. Elle ne voyait que les noms de ses ancêtres gravés sur les pierres tombales.

Pourquoi ce cauchemar était-il revenu? Pourquoi?

Elle croisa les bras, et sentit la crainte et la culpabilité l'envahir. Étaient-ils revenus à cause de Brad? Elle ressentait encore la chaleur de ses baisers et de son souffle, d'une manière beaucoup plus aiguë que le cauchemar.

Elle fit quelques pas et s'arrêta devant la tombe de Sarah Elizabeth Blackstone. Elle sourit, soulagée. Bien sûr! C'était son travail dans le cimetière, l'évocation de la mort de son ancêtre et de son bébé qui avait provoqué le cauchemar! Brad n'y était pour rien.

Elle retourna vers la maison, sachant que les monstres étaient partis pour la nuit. Ils ne reviendraient pas... pas pour le moment et, avec un peu de chance, plus jamais.

Elle ne remarqua pas la silhouette sombre d'un homme penché à une fenêtre. Brad avait entendu ses pas, et, intuitivement, il avait su qu'elle partait se promener dans la nuit. « Mais pourquoi? » se demanda-t-il. Il la vit dans la pelouse sous sa fenêtre, elle semblait flotter dans l'air nocturne. Elle ressemblait à un fantôme, à une femme très belle, sauvage et décidée, délicate, déterminée et vulnérable.

Il se raidit en la voyant s'approcher des tombes. Ses découvertes avaient-elles une signification qui allait au-delà des noms et des dates inscrits sur les pierres tombales d'ancêtres lointains? Si quelque chose la préoccupait, pourquoi ne venait-elle pas le voir? Il était là, il était vivant, et il voulait Sarah comme jamais il n'avait voulu une femme auparavant.

Quand il l'entendit rentrer, il dut faire appel à toute sa volonté pour ne pas aller la voir, la prendre dans ses bras, et lui faire oublier les raisons qui la poussaient vers un vieux cimetière en pleine nuit.

Le lendemain matin, Brad trouva Sarah occupée à reproduire fidèlement les inscriptions figurant sur la tombe de Sarah Elizabeth Blackstone.

Elle avait bien dormi après sa promenade, et se sentait plus paisible et reposée qu'elle ne l'avait été depuis très longtemps. Elle avait résolument chassé

Brad de son esprit pour le moment, se disant qu'elle s'occuperait plus tard de ces sentiments qu'il faisait naître en elle. Maintenant, elle était consciente de sa présence derrière elle, et chaque nerf, chaque pore de sa peau lui disait que son corps magnifique n'était plus qu'à quelques centimètres d'elle.

— C'est l'une de vos ancêtres? demanda-t-il.

Sarah ne leva pas les yeux, et essaya d'oublier l'accélération brutale de son pouls.

— Euh... oui.

— On vous a donné son nom?

— Le nom de ma grand-mère, qui portait le nom de sa propre grand-mère...

— Qui est enterrée ici...

— Oui.

— Elle est morte très jeune, n'est-ce pas?

Sarah hocha la tête en regardant les dates inscrites sur la tombe de sa parente : 1766 — 1800.

— Cela arrive souvent chez les Blackstone.

Elle regretta immédiatement son commentaire. C'était une trop belle journée pour repenser à ces jours horribles et tragiques. A son grand soulagement, Brad ne lui posa pas de question à ce sujet. Le soleil brillait sur ses cheveux, et ses muscles saillaient sous son jean et sa chemise. Cette seule vision lui rappela l'émotion qu'elle avait ressentie entre ses bras, la veille, et elle se reprit rapidement.

Il l'étudia un moment, comme s'il l'interrogeait sans parler, puis il sourit :

— J'ai reçu une lettre de mes parents ce matin, vous savez. Ils n'ont pas parlé d'une étudiante sans le sou qui devait arriver chez eux.

— Vraiment? Rien non plus au sujet d'une présidente de société?

— Absolument rien, fit-il en souriant.

— Eh bien, je suis certaine qu'ils pensent que j'ai reçu leur message et que j'ai renoncé à mon voyage. Allez-vous cesser de me narguer, monsieur Magic? s'énerva-t-elle, fronçant les sourcils.

Il se contenta de rire.

— Oh, espèce de goujat arrogant! Je suppose qu'une «petite chose» comme moi ne doit pas oublier votre supériorité physique? demanda-t-elle aussi calmement que possible, mais sans être très convaincante.

Assis sur un rocher, les bras croisés et les jambes tendues devant lui, Brad la regardait avec un petit sourire.

— Ce serait en effet très sage de votre part.

Elle se tenait debout près de ses jambes.

— Et naturellement, nous autres, les étudiantes sans le sou, sommes réputées pour notre sagesse. Avez-vous souvent été projeté au sol au cours de votre carrière, monsieur Craig?

— Assez souvent. Je croyais que vous ne connaissiez rien au football.

— Oh, je dois avoir lu cela quelque part. Vous savez, nous autres, les étudiantes, nous lisons tout.

Elle était au niveau de ses cuisses maintenant. Il était assis sur un rocher assez bas, visiblement en équilibre précaire. Il lui suffisait de pousser assez fort et, au bon moment...

— Est-ce que vos chutes ont été douloureuses?

Un sourire apparut lentement sur son visage.

— Sur le terrain, assez souvent, mais ma tenue est bien rembourrée. En dehors du terrain...

Sarah ne voulait pas renoncer à son plan.

— Dites-moi, Brad, avez-vous déjà été projeté au sol par une femme? Sur le terrain, j'entends?

— Jamais.

— Je demandais cela par simple curiosité, parce que je...

Elle le poussa de toutes ses forces et se précipita sur lui pour le faire tomber en arrière. Naturellement, il la vit préparer son attaque. Il prit la jeune femme par les poignets avant que ses mains ne se posent sur ses joues, et ils tombèrent tous les deux à la renverse. Dans son élan, Sarah se retrouva étendue près de lui dans l'herbe. Il n'avait pas lâché ses poignets. Il la tenait solidement et riait.

— Vous êtes une vraie lionne, Sarah.

Elle avait du mal à respirer, plaquée contre lui, les poignets emprisonnés contre son flanc.

— Je croyais que j'étais un bouledogue.

— Les deux à la fois. Je voudrais vous embrasser, Sarah, mais je n'ai pas confiance en vous.

— Vraiment? répliqua-t-elle. Vous avez peut-être raison.

— Sarah, reprit-il, si vous me retrouviez ici un peu plus tard? J'ai préparé un panier de pique-nique. J'ai pensé qu'il serait agréable de déjeuner sous les arbres. Je vous montrerai des photos de ma petite nièce. Cela vous permettra aussi de vous entraîner à me projeter au sol, fit-il avec un clin d'œil malicieux.

Avant qu'elle ne puisse répondre, Brad s'assit et se releva, l'entraînant avec lui. Finalement, il lâcha ses poignets.

— A tout à l'heure.

Sarah songea un instant à faire une autre tentative, mais se dit qu'il était sans doute trop fort pour elle. Elle ne l'avait pas surpris la première fois, et ne risquait donc pas de le surprendre maintenant. Elle devrait se contenter de répliquer. Au moins, elle aurait le dernier mot.

— Je n'en ai pas fini avec vous, Brad Craig! annonça-t-elle en se dirigeant vers la maison avec force gestes.

— Je suis impatient de voir la suite, répondit Brad en riant.

A ce moment précis, elle était contente de lui tourner le dos. Autant pour elle qui voulait avoir le dernier mot...

Ils décidèrent de pique-niquer sous un pommier, dans une prairie située au-dessus du cimetière. Brad étala une grande nappe à carreaux rouges et blancs sur le sol. Ils la fixèrent à l'aide de pierres, puis ils s'installèrent au milieu, retirant leurs chaussures. Sarah s'étendit et regarda les feuilles vertes danser sur le fond de ciel bleu.

— C'est la première fois que je prends des vacances en juin, dit-elle gaiement. C'est un mois merveilleux. Tout est encore si nouveau et si vert! Dites-moi, les joueurs de football ont-ils toujours des vacances en juin?

Brad s'installa près d'elle, les jambes croisées.

— Généralement, c'est la période où nous reprenons l'entraînement, dit-il.

— Et vous allez y retourner?

— Non.

Quelque chose dans sa voix poussa la jeune femme à s'asseoir. Il fronçait les sourcils, mais pas dans sa direction. Elle attendit qu'il continue.

— J'ai pris ma retraite, Sarah. J'ai pensé que la finale du championnat me fournirait une sortie en apothéose, et j'ai arrêté. J'ai trente-cinq ans, et j'ai connu vingt bonnes années de sport. C'est suffisant. Je suppose que vous allez me dire que vous n'étiez pas au courant.

— Exactement. Je n'ai pas lu les informations sportives depuis des années...

— Trop occupée à parcourir les rayonnages des bibliothèques?

Elle ne voulait pas que la conversation revienne sur elle, et décida de ne pas prêter attention à sa remarque.

— Que pensez-vous faire, maintenant?

Il haussa les épaules.

— Certaines compagnies m'ont fait des propositions, mais l'idée de passer toutes mes journées en costume trois-pièces me donne la chair de poule. J'ai fait quelques publicités. Je suis très demandé en ce moment, grâce à cette finale du championnat, je pense donc profiter de ma popularité pour en faire quelques autres. Cette vie a ses bons côtés, Sarah. Je vante les mérites d'une marque de bière, je trouve à ma porte de jolies femmes ruisselantes de pluie, qui ont perdu leur lentille de contact dans des flaques d'eau...

— Mon arrivée n'a rien à voir avec votre profession.

Son acquiescement ironique prouvait qu'il avait encore des doutes. Sarah retint une nouvelle protestation et lui demanda :

— Avez-vous d'autres projets?

— Comment? Faire de la publicité pour une bière et séduire de jolies femmes ne vous paraît pas suffisant? dit-il pour la taquiner. Je songeais à commenter les matches pour une chaîne de télévision.

— Cela semble intéressant.

— Oui, peut-être, fit-il, pensif. Mais j'aimerais consacrer la seconde partie de ma vie à autre chose qu'au football... Je pourrais peut-être prendre des leçons avec une généalogiste désargentée sur la manière dont on doit déchiffrer les pierres tombales...

Sarah grommela et secoua la tête, mais pour la forme seulement. Elle se sentait heureuse et détendue comme elle ne l'avait pas été depuis de très longues années. Elle s'allongea de nouveau.

— Ce voyage ne prend pas du tout la tournure que j'imaginais.

— Vous pensiez que je vous chasserais, n'est-ce pas?

— J'ignorais jusqu'à votre existence. Vous n'avez pas oublié? Je veux dire... Enfin, tant pis, c'est sans importance.

Brad s'étendit auprès d'elle, la tête appuyée sur sa main.

— Si ce n'était pas pour moi, Sarah, pourquoi cette excursion de cent vingt kilomètres à bicyclette et cette lentille de contact perdue ?

— J'essayais de retrouver l'insouciance et le bonheur de ma jeunesse, quelque chose de ce genre.

La croyait-il? Elle haussa les épaules. Elle connaissait trop bien la réponse.

Il sourit, mais redevint rapidement sérieux.

— Il me semble, Sarah, que vous faites des choses bien compliquées simplement pour le plaisir.

— Peut-être.

— Dites-moi, la vie d'étudiante est-elle donc si terrible?

— Je ne sais pas, répondit-elle froidement, mais son sourire était contagieux, et elle eut bien du mal à garder un visage impassible, et à oublier ses mains sur son menton.

— Vous êtes vraiment devenue ma mystérieuse inconnue, murmura-t-il en se penchant sur elle, effleurant des doigts ses joues et sa gorge. Je vous ai vue dehors, hier soir, Sarah. J'ai d'abord pensé que je rêvais.

Il s'arrêta, mais elle ne dit rien. Elle l'entendait à peine, fascinée par la chaleur que communiquaient ses doigts à tout son corps. Elle voulait lui prendre la main, mais se retint, sachant que si elle faisait cela, Brad ne s'arrêterait pas comme il l'avait fait la veille. Elle devait d'abord s'assurer...

— Vous ressembliez à un fantôme dans la nuit. Mais ensuite, la lune a brillé dans vos cheveux... Je n'ai pas pu oublier cette image de vous, Sarah. Vous sembliez si préoccupée.

Ses doigts allaient et venaient sur le cou de la jeune femme.

— J'avais fait un cauchemar, dit-elle d'une voix mal assurée. C'est sans importance, maintenant.

— Vous auriez pu venir me voir, fit-il. Vous pouvez toujours venir me voir, Sarah. Je voudrais en savoir plus à votre sujet. En vous regardant, hier soir, j'ai compris que tout ce que vous m'aviez dit était peut-être vrai, ou peut-être faux, mais que cela n'avait pas d'importance. Vous êtes si différente des autres femmes, Sarah.

Elle sentait qu'il voulait oublier son cynisme et sa prudence, laisser tomber ce masque.

— Pas si différente que ça, fit-elle.

Elle lui prit enfin la main, sentant qu'elle avait besoin de Brad, même s'il ne la croyait pas encore.

— J'ai envie de vous aimer; tout autant que ces femmes qui cherchent des stratagèmes invraisemblables pour vous connaître. Brad...

Elle lui offrit ses lèvres, s'abandonnant à la passion de son baiser et aux sentiments qu'il réveillait en elle.

— Sarah, je veux vous aimer, fit Brad à voix basse en lui retirant avec précaution ses lunettes. J'ai envie de cela depuis le soir où je vous ai vue dans ce peignoir, et je n'ai pas pu penser à autre chose depuis que vous m'êtes apparue comme un fantôme, hier soir. Sarah, Sarah!

Il l'embrassa de nouveau, et elle sentait qu'il

luttait pour se contrôler. Voulait-il rester prudent et cynique? Elle lui effleura doucement la jambe, pour l'encourager à continuer, et il donna libre cours à sa passion.

— Tu es belle, Sarah, lui dit-il d'une voix étouffée quand elle fut nue auprès de lui.

Elle sourit et leva la main.

— Brad, avant d'aller plus loin, je vous répète que ce n'est pas pour ça que je suis venue jusqu'ici. J'ignorais ce qui allait se passer...

Ses paroles furent noyées dans un nouveau baiser, et Sarah s'abandonna totalement, caressant ses cheveux, son visage, tout son corps.

— Brad, sais-tu combien de fois j'ai rêvé de caresser ce torse depuis que je suis ici?

— Tu peux le faire, maintenant, ma chérie.

Sarah ne répondit pas, se laissant aller à son bonheur et à son plaisir. Ils ne faisaient plus qu'un maintenant, et rien n'aurait pu les séparer. Ils savourèrent ensemble, lentement, la passion qui les consumait, avant de parvenir au seuil de l'extase, et de retomber, pantelants, dans les bras l'un de l'autre.

Sarah sentit la fraîcheur de la brise sur son dos et la douceur de l'herbe comme si elle les découvrait pour la première fois, comme si elle n'avait jamais rien senti de plus doux et de plus frais. Elle sourit à l'homme qui était près d'elle. Pouvait-elle être tombée amoureuse en l'espace de deux jours? Il lui sourit à son tour, et elle sentit que ce sourire, ce visage fort et chaleureux, ces cheveux sombres resteraient gravés dans sa mémoire pour toujours.

Elle roula sur la nappe à ses côtés, tandis que la brise rafraîchissait leurs corps enfiévrés.

— Oh, Sarah, fit-il d'une voix profonde et riche qui donnait une nouvelle signification à ces mots simples.

Des gouttelettes de transpiration apparaissaient sur son corps parfait, et Sarah en éprouva une satisfaction particulière. Sa passion pour elle avait fait transpirer ce corps incroyable! Elle posa le doigt sur sa poitrine, capturant une petite goutte salée. Il lui prit la main, et embrassa lentement chacun de ses doigts. Sarah posa la tête sur son épaule, trouvant un refuge dans ses bras.

— Sarah, reprit-il, sans la moindre ironie cette fois, tu sais que je ne suis pas un petit garçon innocent.

Elle s'agita, mais il resserra son étreinte.

— Des quantités de femmes se sont offertes à moi, mais jamais je n'ai éprouvé ces sentiments...

— Et que ressens-tu? demanda-t-elle doucement après un instant de silence.

Brad retourna Sarah sur le dos pour qu'elle puisse voir son visage.

— Je pense qu'il n'existe pas de mots pour le décrire. Je ne me suis jamais senti aussi proche, aussi... aussi... bien avec une autre femme, ni avec qui que ce soit jusqu'à présent.

Sarah lui caressa doucement le visage, la main tremblante.

— Moi non plus, murmura-t-elle.

Elle laissa sa main parcourir doucement la poitrine de cet homme qui était complètement entré dans sa vie et dans ses pensées en moins de deux jours. New York et ses responsabilités lui paraissaient très, très loin. Elle songea alors à tout ce que Brad avait abandonné après la finale du championnat.

— Est-ce que cela te manque? demanda-t-elle doucement.

Il appuya nonchalamment la tête sur sa main et étudia sa question, tout en traçant des cercles du doigt sur l'épaule nue de la jeune fille.

— J'aime le football, et j'aimais jouer, répondit-il. Mais cette partie de ma vie est terminée — du moins, la partie qui concerne le joueur. Je préfère considérer que je progresse, et non que je renonce à quelque chose. J'ai toujours mené une existence pleine et captivante, Sarah, et je continuerai.

— N'as-tu pas eu du mal à séparer ton travail et ta vie, n'as-tu pas eu tendance à confondre Magic Craig, le sportif et Brad Craig, l'homme?

— Cela n'a pas toujours été facile, admit-il. Les

exigences sont parfois très dures pour un sportif de haut niveau et elles envahissaient mon temps, mais aussi ma personnalité. J'ai parfois cru perdre de vue qui était vraiment Brad Craig et ce qu'il attendait de la vie.

— Et l'as-tu perdu de vue?

Ce n'était pas une question posée au hasard. Soudain, Brad devina que c'était cela qu'elle cherchait à savoir. Pourquoi?

— Non, pas vraiment, répondit-il calmement. Quand j'ai compris ce qui se passait, j'ai pris du recul. J'ai cessé d'organiser des soirées et de donner des interviews, j'ai même arrêté de lire ce qu'on écrivait à mon sujet, et je me suis enfui dans ces montagnes. Ou bien, je m'enfermais dans mon appartement, avec mon casque sur la tête, et j'écoutais des disques. Je faisais tout ce que je pouvais pour retrouver mon équilibre.

Elle hocha la tête comme si elle comprenait, comme si elle l'enviait, d'une certaine manière, et posa doucement la main sur sa hanche. Il sentait les doigts frais sur sa peau bronzée et se dit qu'ils étaient à leur place ainsi. C'étaient ces caresses, cette femme, qu'il avait attendues toute sa vie. Les yeux de Sarah se fixèrent sur les siens.

— Es-tu venu ici pour t'échapper, Brad?

Il plissa les yeux au souvenir des questions d'une autre femme, à une autre époque : « Es-tu venu dans ces montagnes parce que tu penses prendre ta retraite? As-tu peur de la retraite? Que penses-tu faire du reste de ta vie? » Il lui avait fait assez confiance pour passer une journée avec elle, mais ses questions l'avaient rendu soupçonneux. Il se souvenait du regard paniqué de la jeune femme lorsqu'il avait fouillé son portefeuille et trouvé sa carte de presse. Elle n'avait pas eu besoin d'aide pour faire ses valises!

Il avait horreur d'être ridiculisé... pire encore, d'être ridicule. Il avait appris à se montrer prudent. Mais quand il regarda Sarah et ne vit aucune lueur d'hypocrisie dans ses yeux, quand il sentit la douce pression de ses doigts sur sa peau, qui réveillèrent sa passion, il se dit qu'il devait prendre le risque. Elle en valait la peine, et les sentiments qu'ils éprouvaient l'un pour l'autre en valaient la peine.

— D'une certaine manière, oui, fit-il enfin. Je dois penser à mon avenir, et prendre les bonnes décisions. Mes parents avaient besoin de quelqu'un pour s'occuper de la maison pendant leur absence, et j'ai profité de l'occasion pour venir réfléchir.

— J'espère que je ne te dérange pas...

— Sarah, Sarah, fit-il en effleurant ses cheveux, souriant maintenant. Cet endroit me semblait aussi favorable qu'un autre, mais j'ai l'impression que la destinée...

— Je sais exactement ce que tu veux dire, l'interrompit-elle, enjouée et enthousiaste.

Il se demanda comment elle avait pu être aussi déterminée quelques instants plus tôt, alors qu'elle semblait maintenant si jeune et si vulnérable. « Quelle femme merveilleuse et fascinante! » Elle lui sourit, les yeux brillants.

— Tu sais, Brad, je suis persuadée que si j'avais décidé d'aller faire le point de ma vie en escaladant l'Everest, je t'aurais trouvé au sommet, avec ce sourire ensorceleur.

Brad se retourna et rit en regardant le ciel, puis il contempla Sarah, un sourire malicieux dans ses yeux sombres.

— Tu ne devineras jamais, Sarah, dit-il en caressant ses épaules et sa poitrine. Mais si ma sœur n'avait pas accouché prématurément, je serai parti escalader l'Everest...

— Oh! Brad!

Elle eut un rire incrédule et lui martela la poitrine, mais il l'attira contre lui, et le rire de Sarah fut interrompu par ses baisers tandis qu'elle l'étreignait de toutes ses forces.

— Essaie de nous imaginer, faisant l'amour au sommet de l'Everest, murmura-t-il entre deux baisers.

Leur union fut si violente que Sarah en eut le souffle coupé. Brad ne se contentait pas de donner, il attendait la même chose d'elle en retour, le même abandon mental et physique. Même si elle l'avait voulu, Sarah n'aurait pas pu lui résister. Au cœur de leurs ébats passionnés, elle se rendait compte qu'il se donnait totalement, et qu'il attendait qu'elle se donne totalement. Elle avait douté, un peu plus tôt, mais ne pouvait plus douter maintenant. Brad Craig ne considérait pas cela comme un simple « exercice ».

Il la serra contre lui, et ce moment d'extase sembla durer une éternité. Sarah n'était plus consciente que du déferlement de sa passion et de la perfection de leur union.

6

ILS pique-niquèrent en riant et regardèrent les photos du bébé. Puis ils secouèrent la nappe et se rallongèrent, les pieds dans l'herbe haute.

Sarah fut soudain prise d'une terrible panique en sortant de son demi-sommeil. Elle regarda Brad, qui somnolait paisiblement auprès d'elle.

« Qui est cet homme ? songea-t-elle. Mon Dieu, est-ce que je l'ai créé, ou est-il réel ? Je le connais depuis si peu de temps, et pourtant j'ai le sentiment qu'il fait partie de ma vie, que je ne pourrai plus vivre sans lui, et... Pourquoi ai-je si peur ?

— Oh, mon Dieu, qu'ai-je fait ? murmura-t-elle.

« Mon travail, mes responsabilités, ma vie se trouvent à New York. Ma mère, tante Anna, mes cousins, Hamilton, tous ceux qui travaillent pour les industries Blackstone dépendent de moi. Ils me font confiance ! Et moi, je fais l'amour sous un pommier avec l'homme le plus merveilleux du monde ! Et il me prend pour une étudiante désargentée. »

Elle chassa les gouttes de sueur que la panique et la tension avaient fait apparaître sur son visage et écouta le rythme régulier de la respiration de Brad. Était-ce la destinée qui les avait approchés l'un de l'autre, ou l'avait-elle inventé parce qu'elle avait besoin de lui — pas seulement d'un homme comme lui, de lui ? Le voyait-elle non pas tel qu'il était, mais tel qu'elle voulait qu'il soit ? Et même si c'était le cas, elle était injuste et présomptueuse. Lorsqu'elle avait réfléchi à son existence, froidement et calmement, et décidé qu'elle n'aimait pas la direction qu'elle prenait, elle avait compris que c'était à elle de faire des changements. Personne ne pouvait transformer sa vie à sa place. Elle devait s'en sortir seule! Qui disait que Brad voulait l'aider? Ou qu'il pouvait l'aider?

Elle devait partir. Elle l'embrassa doucement, et en dix minutes, elle avait rassemblé ses affaires, griffonné un message à son intention, et disparu sur sa bicyclette, le long de la route qui la ramènerait à Manhattan.

Sarah dévalait une pente à toute vitesse quand une voiture de sport arriva à sa hauteur. Elle lança un regard ennuyé au conducteur, mais ses yeux se figèrent sur les cheveux bruns et le regard furieux de Brad Craig.

— Oh, non!

Elle freina et ne s'aperçut pas immédiatement que ses pieds étaient pris dans les pédales. Elle quitta Brad des yeux, mais il était trop tard. Elle serra les freins, que le vendeur lui avait vantés pour leur sensibilité, et s'arrêta d'une manière abrupte et disgracieuse le long du talus.

Les pédales avaient continué à tourner. Avant de pouvoir crier, elle se retrouva assise sur le bord de la route. La bicyclette s'était prise dans ses jambes, et une pédale était enfoncée dans sa cheville.

— Tout ça est votre faute, Brad Craig!

La colère surpassait la douleur tandis que Sarah se redressait et laissait glisser son sac à dos sur le sol. La voiture s'était arrêtée un peu plus loin. Elle lui jeta un regard meurtrier et dégagea ses jambes de la bicyclette renversée. Elle ne vit que quelques égratignures. Elle jura, ce qui lui arrivait rarement. Elle était maintenant assise maladroitement, essayant de retirer son pied droit de sous sa bicyclette sans endommager davantage sa jambe ou son matériel.

Une ombre imposante se projeta sur elle, et elle jeta un regard froid à Brad. Il s'était assis, très raide, et la contemplait.

— Tu ne me fais pas peur, explosa-t-elle. En fait, je suis beaucoup plus furieuse que toi. Tu pourrais m'aider, non?

Il plissa les yeux.

— Tu aurais pu prendre le car, fit-il d'un air sardonique. Toi et ta sacrée bicyclette!

— Brad, s'il te plaît!

Il n'était visiblement pas amusé. Sa raideur et sa mâchoire crispée le prouvaient. De plus, il ne s'était pas précipité à son secours. Sarah se débattit seule avec son vélo, mais ne parvint qu'à enfoncer davantage la pédale dans sa cheville. Elle poussa un cri.

— C'est bien fait pour toi, grommela-t-il.

— Non!

Il prit la bicyclette et la souleva brusquement. Sarah cria de nouveau, et libéra sa cheville avant de se faire plus de mal.

— Allons, Brad, tu ne voudrais pas te calmer?

Brad redressa l'engin et vint se rasseoir auprès de Sarah. Elle était assise dans le sable, son genou gauche appuyé sur sa cheville douloureuse. Elle souffrait trop pour faire autre chose que jurer contre Brad et contre la bicyclette.

— Voyons ça, fit-il sèchement.

Elle le regarda.

— Va-t'en. Je n'ai pas besoin du secours d'Attila.

Ses yeux s'agrandirent, et il faillit sourire, mais se reprit à temps, et examina de plus près la blessure de Sarah. Il lui prit le talon et lui arracha sa chaussure.

— Aïe!

— Un peu de courage!

— Je suis courageuse. Sinon, je me roulerais par terre en hurlant de douleur. Aïe! Brad, tu ne pourrais pas faire attention? Non, pas la chaussette!

Elle grimaça quand il lui retira sa chaussette, sans prendre de précautions, mais refusa de crier. Elle se contenta de jurer.

— Dans ces cas-là, mieux vaut se déchausser le plus rapidement possible, dit-il en laissant tomber la chaussette dans le sable.

— Et où as-tu appris la médecine?

— J'ai eu l'expérience des coups pendant les vingt ans que j'ai passés sur les terrains de football. Tu as une bonne éraflure.

— Une éraflure? C'est une entaille!

— Tu exagères!

— Les éraflures ne saignent pas.

Il haussa les épaules.

— D'accord. Tu as quelque chose qui se situe entre une éraflure et une entaille. Et un bel hématome.

Elle posa ses mains à plat derrière elle et prit appui plus confortablement.

— Il n'y a pas encore de fracture?

— Pas encore, répliqua-t-il en la regardant dans les yeux.

Elle avala sa salive.

— Je peux te reconduire à la maison, et tu te soigneras.

— Je m'en sortirai.

Il se leva brusquement, laissant violemment tomber la cheville de la jeune femme dans le sable.

— Je devrais tordre ton joli cou, Sarah.

— Mon cou n'est pas spécialement joli, et tu n'as aucune raison de vouloir le tordre! Si quelqu'un mérite qu'on lui torde le cou, c'est bien toi! Quelle est cette idée de me suivre en silence?

— Tu crois qu'une voiture peut suivre une bicyclette en silence?

— Oui, si c'est une de ces voitures de sport si discrètes!

Elle s'assit toute droite, oubliant un instant la douleur.

— Si tu n'avais pas fait cela... Tu ne pouvais pas attendre d'arriver au bas de la colline, ou au moins klaxonner? Non, cela aurait été encore pire.

— Tu as de la chance que je ne t'aie pas renversée pour te punir! Toi non plus, tu ne fais pas beaucoup de bruit en partant, Sarah Blackstone.

Elle se leva en boitillant, et laissa reposer son poids sur sa jambe gauche.

— Je ne suis pas partie en silence. Je... je me suis échappée. Tu as raison, je ne suis pas très courageuse.

Il lui répondit sans se retourner :

— C'est un bien beau message que j'ai trouvé, Sarah. « Pour être juste avec toi, je dois partir. Je resterai en contact. Sarah. » J'étais tellement fou de rage que j'ai déchiré ce papier en mille morceaux et t'ai suivie. Tu croyais vraiment pouvoir mettre assez de distance entre nous avec cette sacrée bicyclette?

— Eh bien, non. Je...

Elle s'arrêta. Sa jambe se fatiguait, sa cheville la faisait souffrir, et la détermination qu'elle avait une heure plus tôt faiblissait. Pourquoi était-elle partie?

— Pour une étudiante, Sarah, tu as encore beaucoup de choses à apprendre, grommela-t-il, puis baissant la voix, il demanda plus doucement : Pourquoi es-tu partie?

Ses yeux étaient fixés sur elle, refusant de lâcher prise, et bien qu'il ne la touchât pas, elle ne pouvait pas échapper à son emprise.

— Parce qu'il le fallait, répondit-elle. Parce que tu ne veux pas me croire quand je dis qui je suis, parce que je suis bien telle que je me suis décrite, parce que tout est arrivé si vite entre nous, peut-être trop vite, parce que ce n'est pas réel...

— Tu m'as pourtant semblé assez réelle, Sarah.

— Je veux dire, l'idée que cela serait arrivé où que nous soyons allés, et à n'importe quel moment. Cela te semble peut-être ridicule, mais pas à moi. Ma vie ne m'appartient pas totalement, Brad. Je le voudrais, et j'y parviendrai, mais...

Il ouvrait et serrait les poings à ses côtés, ses bras tendus.

— Tu devras trouver beaucoup mieux que ça, Sarah, dit-il sombrement. Cette explication ne me suffit pas. Voyons, tu étais encore dans mes bras il y a quelques heures! Et maintenant, tu me dis que tu t'es enfuie à cause de ta situation, et... Qui es-tu, Sarah Blackstone?

— Mais je l'ai déjà dit! Je suis présidente des...

— Ne recommence pas! gronda-t-il, piétinant rageusement le sable, faisant voler la poussière. Tu t'es montrée astucieuse et tu as fait preuve d'une grande imagination depuis le début, et à mon grand regret, j'avais fini par te croire! Que représente notre aventure pour toi, Sarah? Une simple distraction, ou... davantage?

Elle lui adressa un regard glacial.

— Tu ne m'as donc pas écoutée?

— Si!

Il fit demi-tour et se dirigea à grands pas vers sa voiture.

— Bonne promenade, Sarah.

Il s'installa au volant.

— Brad, ma cheville! Comment vais-je rentrer à New York?

— Appelle ton chauffeur.

Il claqua sa portière.

Sarah le suivit des yeux, furieuse, tandis qu'il s'éloignait. En arrivant à Manhattan, sa première tâche serait d'envoyer à ce monstre d'arrogance un exemplaire du bilan annuel des industries Blackstone! Elle se laissa retomber sur le sable. Sa cheville ne saignait plus, mais elle ne pensait pas être en état de reprendre sa bicyclette. Elle pouvait en effet appeler son chauffeur, du moins celui de sa mère. Elle sourit. Brad Craig était venu la rechercher, il l'avait poursuivie, et pourtant, il ne croyait toujours pas qu'elle était la riche Sarah Blackstone. « Au moins, songea-t-elle, ce n'est pas mon argent qui l'intéresse! »

Un kilomètre plus bas, la voiture de sport s'immobilisa sur le bas-côté. Brad grommela et fit demi-tour.

Sarah examinait sa cheville quand la voiture noire s'arrêta une nouvelle fois devant elle. La silhouette féline de Brad descendit de voiture et Sarah dut réprimer une soudaine envie de se jeter à son cou en lui demandant pardon et en lui disant qu'elle avait changé d'avis et voulait rester. Mais elle devait quitter cette région! Il le fallait!

Brad s'immobilisa devant elle, les mains sur les hanches.

— Le moins que je puisse faire est de t'accompagner à l'arrêt du car.

Sa voix grave et mélodieuse coupa le souffle à la jeune femme, mais elle parvint à répondre calmement :

— D'accord, mais ma bicyclette ne rentrera pas dans ta voiture. Que vais-je en faire?

— Je la garderai, fit-il d'un air menaçant. Tu pourras la reprendre quand tu reviendras.

Ainsi, il voulait qu'elle revienne! Sarah sourit.

— Je peux me permettre d'en acheter une autre, tu sais.

— D'accord.

— C'est vrai! insista-t-elle puis elle boitilla jusqu'à la voiture et se laissa tomber sur le siège. Est-ce que cela veut dire que tu aimerais que je revienne?

Il prit son sac et le jeta sur le plancher aux pieds de Sarah, manquant de peu sa cheville blessée.

— Peut-être, fit-il.

— Parce que si c'est le cas, reprit-elle, imperturbable, tu n'as pas besoin de garder ma bicyclette en gage. Ton corps et tes muscles sont suffisants.

La cicatrice au-dessus de son œil gauche s'abaissa. Elle lui adressa un sourire satisfait.

— Ne t'inquiète pas, ce ne sont pas les femmes de la famille Blackstone qui m'ont appris ce langage. Elles seraient horrifiées si elles m'entendaient.

Il enclencha une vitesse et démarra.

— Attends, ma bicyclette est restée en pleine vue...

— Tu ne m'as pas dit que tu pouvais te permettre d'en acheter une autre?

— Si, mais c'est une très bonne bicyclette!

Il eut un sourire sardonique.

— Et je suis sûr que celui qui la trouvera en sera très content.

— Mais, Brad!

— Oui? fit-il en lui jetant un regard rapide.

— La famille Blackstone ne s'est pas enrichie en laissant des objets à la portée des voleurs, murmura-t-elle. Tu viendras la chercher, n'est-ce pas?

Un sourire agréable et sensuel traversa son visage. Sarah aurait voulu le caresser. Personne ne lui avait jamais souri de cette manière. Cela lui coupait le souffle, et faisait palpiter son cœur à toute vitesse. Elle avait envie de fermer les yeux et de repenser aux sensations extraordinaires qu'elle avait éprouvées en faisant l'amour avec lui sous ce pommier.

— Peut-être, répondit-il d'une voix brève, mais légèrement ironique. Je suppose que tu reviendras, simplement pour t'en assurer. Tu ne résistes pas plus que moi au mystère.

Elle refusa de répliquer, et se contenta d'admirer le paysage verdoyant et montagneux. Il fallait qu'elle parte. Si seulement elle pouvait éviter de le regarder pendant quelques kilomètres...

Quand ils arrivèrent à l'arrêt du car, Sarah découvrit que sa cheville avait enflé au point qu'elle ne pouvait plus mettre sa chaussure.

— Cela s'arrangera vite, assura Brad. Il m'est arrivé très souvent de me réveiller avec les chevilles dans cet état. As-tu assez d'argent pour le car?

— Oui! grommela-t-elle.

Brad lui adressa son sourire charmeur. Une lueur brillait dans ses yeux.

— Je voulais simplement vérifier.

Elle poussa la portière et grimaça en sentant une douleur lancinante dans son épaule. Une autre blessure?

— Eh bien, on peut dire que tu m'auras laissé des souvenirs.

— Je l'espère. Tu rougis, Sarah.

— C'est la fatigue, corrigea-t-elle, mais elle sourit. J'espère qu'un jour tu comprendras pourquoi je pars. Je... Je reviendrai chercher mon vélo.

— D'accord.

Il était si difficile de la laisser partir! Mais encore une fois, Brad sentait ce mélange de détermination et de vulnérabilité, qu'il ne comprenait toujours pas, et il comprit qu'il devait la laisser partir... pour le moment! Il lui sourit, et lui adressa un clin d'œil.

— A bientôt, mystérieuse inconnue.

Elle lui fit un faible signe de la main, se demandant si sa décision était vraiment irrévocable. S'il lui demandait de rester...

— Au revoir, Sarah.

Il ne lui avait pas dit de rester. En refermant la portière elle fit une dernière grimace. Il sourit et s'éloigna. Elle ne savait pas combien ce sourire lui avait coûté. Sarah regarda la voiture de sport disparaître dans un virage et se dirigea en boitant vers l'arrêt d'autocar.

— Tu n'es qu'une idiote, se dit-elle tout haut.

Mais en achetant un billet pour New York, elle savait qu'elle reviendrait chercher sa bicyclette... et son footballeur.

Si toutefois, il voulait encore d'elle quand il apprendrait qu'elle était loin d'être une étudiante sans argent.

Vingt-quatre heures plus tard, Brad était assis sur sa terrasse et ouvrait son courrier. Il prit nonchalamment une enveloppe contenant une lettre dactylographiée sur un papier luxueux. Il se demandait combien de temps il laisserait à Sarah avant de revenir dans sa vie. Il ne savait même pas où elle habitait! Mais c'était sans importance; il la trouverait. Il soupira impatiemment et regarda la lettre.

Ses yeux se fixèrent sur le luxueux en-tête doré : Industries Blackstone. En plus petits caractères figurait une adresse dans la Cinquième Rue et la liste des membres du conseil d'administration : Hamilton Blackstone IV, président du conseil d'administration, Sarah Blackstone, présidente, et Corbin Delaney, vice-président.

— Eh bien, ça alors!

Soit elle n'avait pas menti, soit son mensonge allait vraiment très loin. Brad ne put réprimer un petit rire. Quelle femme étrange et fascinante!

Sans cesser de rire, il parcourut la lettre, mais quand il vit la signature, son rire s'arrêta net. Il s'attendait à un paraphe arrogant de Sarah Blackstone, mais ne trouva que la petite signature nette de Hamilton Blackstone IV.

— Qu'est-ce que cela signifie?

Il poursuivit sa lecture :

« Cher monsieur Craig,

« En tant que président du conseil d'administration des industries Blackstone et membre de la fondation Blackstone, je vous invite cordialement à assister à la réunion des membres de la fondation Blackstone qui se tiendra le 28 Juin, à dix heures. J'aimerais beaucoup profiter de cette occasion pour vous présenter aux autres membres et pour faire votre connaissance, ainsi que pour vous donner plus de détails sur les programmes de la fondation. Nous apprécierions beaucoup votre participation à nos travaux. Je sais que cette lettre pourra vous sembler surprenante, et je regrette de vous écrire aussi tard, mais j'espère cependant que votre emploi du temps vous permettra de vous joindre à nous jeudi.

« Recevez mes meilleurs sentiments,

« Hamilton Blackstone IV. »

Brad secoua la tête, incrédule. Il n'avait jamais entendu parler des industries Blackstone ni de la fondation Blackstone avant ce dimanche soir, quand Sarah, enveloppée dans son peignoir, lui avait énoncé la liste de ses titres. Et maintenant, cette lettre! Son ton et sa brièveté laissaient clairement entendre que tout le monde devait connaître l'existence des industries Blackstone.

— Non! s'exclama Brad. Elle a dû fabriquer aussi cet Hamilton Blackstone. La petite intrigante...

H.B... Hamilton Blackstone... Ham...

— Non. C'est impossible, murmura Brad en fronçant les sourcils.

Il sauta en bas de la terrasse et se dirigea à grands pas vers le cimetière Blackstone. Les pierres tombales brillaient au soleil. Il compta cinq Hamilton Blackstone, dont deux morts en bas âge.

— Je dois être fou, se dit-il.

Il rentra rapidement dans la maison et décrocha le téléphone pour composer le numéro qu'il connaissait si bien. Il demanda Ham Black, mais son ami et entraîneur était absent.

— Pouvez-vous lui transmettre un message? Dites-lui que si Ham Black est aussi Hamilton Blackstone IV, ou s'il a entendu parler de lui, son compte est bon. Vous avez compris?

La secrétaire acquiesça nerveusement, et lui demanda s'il était sérieux.

— Peut-être, grommela Brad.

En raccrochant, il se dit que cela dépendrait de beaucoup de facteurs. Tout d'abord : la femme qu'il tenait dans ses bras la veille, et qu'il désirait encore, était-elle vraiment celle qu'elle prétendait être? Dans ce cas, quel était le rapport entre Ham Black, l'entraîneur de l'équipe des Novas, et un président de conseil d'administration?

Brad ne comprenait pas. Comment le président du conseil d'administration d'une grande société pouvait-il devenir entraîneur de football? Et Ham avait été son meilleur ami pendant un an. Il n'aurait sûrement pas trompé Brad ainsi. Il lui aurait dit...

Mais si Ham l'avait trompé? Sarah était-elle au courant? Allons, elle devait bien le savoir! Elle avait dû préparer son arrivée à minuit avec l'aide de son frère...

Mais pourquoi? Si elle voulait rencontrer Magic Craig, Ham aurait pu le lui permettre. En fait, il se souvenait que Ham lui avait dit plusieurs fois qu'il devrait rencontrer sa sœur. Dans ce cas, pourquoi cette mise en scène?

Et quel était le sens de cette lettre? Les quelques jours précédents n'étaient-ils qu'un complot visant à l'inciter à devenir membre de la fondation Blackstone? C'était absurde!

Non. L'explication la plus simple et la plus logique voulait que Ham Black soit Ham Black et rien de plus, et qu'il ait mis au point, en compagnie de sa ravissante sœur, une farce compliquée dont la victime serait un footballeur à la retraite.

Mais il avait compris maintenant, et il prendrait sa revanche. Il reprit la lettre et éclata de rire. Où étaient-ils allés chercher une idée aussi compliquée? Il songea à annuler son message pour Ham, mais décida finalement de ne pas le faire. Ces comploteurs allaient pouvoir réfléchir à leur situation!

Il pensa à Sarah. Elle lui manquait, et il la revit dans le jardin, ses cheveux clairs flottant autour d'elle... avec cette détermination et cette vulnérabilité. La plaisanterie avait-elle pris des dimensions qu'elle n'avait pas prévues? «Sarah, Sarah, songea-t-il, je te laisse quelques jours, mais pas plus. Puis je viendrai te chercher, ma chérie, et nous verrons... Oui, nous verrons.»

7

Le lundi suivant, Sarah retourna à son bureau et à ses devoirs, avec l'impression de sombrer dans un gouffre noir d'où jamais elle ne sortirait. Même le mobilier luxueux de son bureau de la Cinquantième Rue ne lui redonnait pas l'assurance habituelle des Blackstone. Elle tira la langue au portrait de Hamilton Blackstone Senior accroché au-dessus du bureau. Elle avait ses cheveux clairs et ses yeux verts, mais elle doutait que le fondateur des industries Blackstone, qui avait vécu un siècle plus tôt, ait eu des fossettes... ou qu'il ait fait l'amour sous un pommier.

Et pourtant, elle était très fière d'être une Blackstone, et que cet homme sur le mur figure dans son arbre généalogique. Le drame l'avait obligée à modifier les projets qu'elle avait faits pour sa vie. Elle n'aurait jamais pensé diriger la compagnie et la fondation à vingt-cinq ans, mais elle n'avait pas eu le choix. Et l'année précédente, quand son frère avait décidé de lui confier ses responsabilités pour un an, elle avait bien dû les accepter.

Elle soupira en regardant le portrait. Elle avait trop de responsabilités, ou peut-être trop de rêves, et aucune possibilité de choisir.

Elle connaissait, et acceptait, ses devoirs envers sa famille, les futures générations de Blackstone, et même les générations passées, jusqu'à ce vieillard figurant sur le portrait.

Elle savait qu'ils n'étaient pour rien dans son sentiment de vide et d'abandon. Le responsable était

Brad Craig. Pendant cinq jours, elle avait rendu visite à des amis et essayé de se détendre, mais elle avait pensé constamment à lui, espérant vaguement qu'il viendrait la retrouver. Elle songea même un instant à retourner le voir pour reprendre leur liaison où ils l'avaient interrompue.

Et où l'avaient-ils interrompue?

Sarah, la mystérieuse inconnue... la généalogiste... la petite chose... la lionne... le bouledogue... l'étudiante sans argent.

Rien ne pouvait la distraire : ni les conversations avec ses amis, ni les livres, ni la télévision, ni les promenades sur les plages désertes. Elle ne pensait qu'à Brad et à ce qu'il était devenu pour elle en si peu de temps. Maintenant, elle avait du mal à se concentrer sur son travail et à faire face à ses énormes responsabilités. Comment cet homme avait-il pu prendre tant d'importance en deux jours?

On frappa discrètement à la porte, et elle s'obligea à reprendre ses esprits.

— Entrez, fit-elle calmement.

Debbi Josephs, sa secrétaire brune et svelte, arriva.

— Excusez-moi, Miss Blackstone, mais j'ai pensé que vous aimeriez savoir qu'un homme demande à vous voir. Je sais que vous ne vouliez pas être dérangée, mais il donne beaucoup de mal à la réceptionniste.

Sarah soupira. « Reprenons le travail », se dit-elle.

— Vous avez appelé la sécurité?

Debbi se gratta le nez, hésitante.

— Eh bien, je ne sais pas si cela suffirait, et la publicité...

Debbi fut interrompue par des bruits provenant de son bureau. Elles entendirent la voix aiguë et affolée de la réceptionniste :

— Je ne veux pas savoir qui vous êtes! Je ne peux pas vous laisser entrer! Miss Blackstone a demandé à ne pas être dérangée...

Une voix profonde, patiente et précise répliqua :

— Je m'en moque.

Debbi passa sa langue sur ses lèvres et Sarah se sentit pâlir. Cela ressemblait... c'était peut-être... Son humeur déprimée s'envola. La silhouette solide de la réceptionniste apparut sur le seuil, et elle essaya d'empêcher l'intrus d'entrer. Un rire mélodieux résonna derrière elle, éliminant le moindre doute dans l'esprit de Sarah, et lui faisant passer un frisson dans le dos.

— Euh... fit Debbi, s'efforçant visiblement d'être diplomate. Je crois que vous... M. Craig prétend vous connaître...

Brad avait déjà écarté la réceptionniste et il arrivait dans le bureau. Il était aussi mince, puissant et séduisant que dans le souvenir de Sarah. Son complet strict ne pouvait dissimuler totalement son corps d'athlète, ses cuisses musclées, ses épaules carrées. Ses cheveux étaient sombres et désordonnés, et son sourire plus charmeur que jamais. Sarah dut s'accrocher à son fauteuil pour ne pas courir vers lui.

— Eh bien, si je m'attendais..., dit-il sans perdre son sourire. Bonjour, mystérieuse inconnue.

La secrétaire et la réceptionniste se retirèrent en marmonnant des excuses.

Sarah se reprit et s'adossa à son fauteuil, contemplant Brad avec un sourire amusé qui devait accentuer ses fossettes.

— Bonjour, monsieur Craig.

Brad éclata de rire et examina le luxueux mobilier du bureau.

— Ainsi, c'est bien le bureau de la présidente des industries Blackstone et du P.-D.G. de la fondation Blackstone. C'est bien vrai? fit-il en riant et en passant son pied sur l'épaisse moquette.

— Bien sûr, que c'est vrai! fit Sarah, indignée. La compagnie a été fondée par cet homme, reprit-elle en indiquant le portrait.

Brad s'approcha du bureau et examina l'ancêtre de Sarah.

— « Hamilton Blackstone, 1840-1921 », lut-il avant de regarder Sarah. Le fils de celui qui a construit la maison de mes parents?

— Son petit-fils.

Elle le regarda contourner son bureau et s'asseoir

nonchalamment sur le bord, à quelques centimètres d'elle, tout près de la cafetière en argent que Debbi Josephs apportait chaque matin. Une lueur amusée dansait dans ses yeux.

— Nerveuse, Sarah?

— Pas le moins du monde, déclara-t-elle en s'adossant plus confortablement. As-tu une idée de ce que tu viens de faire à ma réputation auprès de ma secrétaire et de la réceptionniste?

— Allons donc, fit-il en se croisant les bras. Elles m'ont reconnu, elles.

— Et alors?

— C'est une simple constatation.

— Eh bien, moi, je ne t'avais pas reconnu. Regarde autour de toi, est-ce que j'ai menti?

Il décroisa ses bras et tendit la main vers elle. Elle ne se détourna pas. Son arrivée l'avait surprise, car elle ne s'attendait vraiment pas à le voir, et leur séparation avait été assez orageuse. Mais maintenant qu'il était si près, elle avait du mal à reprendre sa respiration. Il effleura doucement sa joue.

— Tu as l'air peu rassurée, Sarah.

Elle se retourna, très droite sur sa chaise.

— Bien sûr, je suis assez surprise! Tu entres ici comme si on venait de te faire une passe gagnante sur un terrain...

— Pas mal, Sarah, pour une femme qui ne connaît rien au football, dit-il d'un air accusateur, mais amusé.

Il ne la croyait toujours pas! Il se trouvait dans les bureaux de sa société, il venait de regarder le portrait d'Hamilton Blackstone, et il doutait encore de ses paroles! Sarah aurait voulu le prendre par le revers de sa veste et le secouer, mais elle savait que ce serait inutile. Elle se contenta donc de lui lancer un regard froid et de lui dire :

— Tu es vraiment exaspérant. Je n'ai jamais dit que je ne connaissais rien au football. J'ai même assisté à quelques matches universitaires.

— Du football de fillettes, fit-il en souriant.

Elle lui lança un regard glacial, mais derrière ses yeux verts, une tempête se déchaînait, et elle songeait : « Tout cela est sans importance. Pourquoi es-tu venu ? »

Il se pencha en avant, ses yeux sombres et rieurs rivés aux siens. La jeune femme sentit sa bouche se dessécher au souvenir de la première fois où elle avait vu ces yeux, alors qu'elle était enveloppée dans son peignoir. Etait-ce seulement six jours plus tôt ? Ou une éternité, ou quelques secondes ?

— Tu m'as quitté d'une manière si mystérieuse, expliqua-t-il d'une voix mélodieuse, que je n'ai pas pu résister.

Elle posa les mains sur son buvard, s'efforçant de ne pas trembler, et lui demanda enfin :

— Comment m'as-tu trouvée ?

— Tu m'avais conseillé de chercher dans l'annuaire, tu te souviens ? dit-il, mais une note amusée et ironique dans sa voix poussait la jeune femme à se demander s'il disait toute la vérité. Est-ce que je t'ai manqué, Sarah ? demanda-t-il brusquement.

Elle leva les yeux et vit qu'il était redevenu sérieux. Il sourit et se leva, de sorte qu'il était maintenant debout tout près d'elle.

— Me croirais-tu si je disais oui ?

— Peut-être. Peut-être pas. C'est sans importance.

— Pourquoi ?

Brad la prit dans ses bras et l'attira à lui. Sarah avait du mal à respirer.

— Parce que, pour l'instant, je ne pense qu'à t'embrasser, et je ne me soucie pas de tes mensonges. Sarah, j'ai l'impression que si je ne t'embrasse pas, je vais tomber sur place et mourir.

— Une grande brute comme toi ? Cela m'étonnerait.

Sarah sentit les lèvres de Brad sur les siennes, et elle fondit dans ses bras, oubliant tous les rapports et les rendez-vous qui l'attendaient. Elle n'avait plus la force de soutenir qu'elle disait la vérité. C'était en effet sans importance pour le moment. Elle avait envie de rire et de profiter de la vie.

— Tu savais que je viendrais te chercher ? murmura-t-il contre son oreille.

— J'avais envie que tu viennes, Brad. Crois-moi, j'en avais envie.

— Je te crois, dit-il, les yeux brillants.

Ils s'embrassèrent de nouveau, passionnément, comme deux amoureux qui viennent d'être séparés pendant six ans, et non six jours. Les mains de Sarah parcouraient le dos de Brad, tandis qu'elle oubliait tout ce qui l'entourait. Il l'attira tout contre lui, et leurs baisers se firent de plus en plus pressants.

— Crois-tu que ce vieil « Ham... poté » descendrait de son portrait si nous décidions de faire l'amour ici ? demanda Brad, le souffle court. Oh, Sarah, j'aimerais fermer ta porte pendant quelques heures, et...

Mais il s'arrêta et recula. Sarah remit sa robe en place et la défroissa. Brad se détourna, passa une main dans ses cheveux, et jura à voix basse. A cet instant précis, il aurait voulu prendre Sarah par la main et l'emmener très loin. Mais il y avait cette lettre de Hamilton Blackstone IV. N'était-elle pas au courant ? Elle était arrivée le lendemain du départ de Sarah. La coïncidence était trop forte. La jeune femme n'avait pas réagi lorsqu'il avait surnommé le vieillard du portrait « Ham-poté ». Si elle connaissait Ham Black, cela aurait dû lui indiquer qu'il avait compris le subterfuge. Tout le monde le surnommait ainsi !

Il soupira et se retourna vers Sarah. Son visage était sombre, déterminé. C'était l'heure de la passe décisive...

— Allons, dis-moi quel est ton nom ?

Sarah ressentait encore la chaleur de l'étreinte de Brad, et il lui fallut quelques secondes pour saisir son brusque changement d'humeur. Elle le regarda, furieuse et incrédule.

— Quel est mon nom ? Laissez-moi vous rappeler, monsieur Craig, que c'est vous qui avez fait irruption ici !

— Tu as raison, et veux-tu savoir pourquoi ?

— J'aimerais beaucoup le savoir !

Il donna un coup de poing sur le bureau. Un bibelot très rare et d'une grande valeur oscilla dangereusement.

— Je voulais savoir ce que tu étais venue faire chez mes parents !

Sarah s'écroula dans son fauteuil en gémissant.

— Oh non! Cela ne va pas recommencer!

— Mais si, ça va recommencer, ma chérie. Tu n'es pas venue simplement pour me voir et avoir une petite aventure, n'est-ce pas? Alors, pourquoi?

— C'est incroyable! Combien de fois faudra-t-il que je te le dise? Dix fois, vingt fois, cent fois...

— Ne joue pas à la plus rusée avec moi, Sarah.

Elle bondit de son fauteuil et contourna son bureau pour venir se planter devant Brad. Elle se dit un instant, en voyant sa mâchoire serrée par la colère, qu'elle discutait avec lui par plaisir. Elle mit ses mains sur ses hanches et le toisa.

— Espèce de monstre d'arrogance! Tu sais pourquoi je suis venue? Je voulais échapper à mes responsabilités, à ma vie tourmentée de New York et remettre un peu d'ordre dans mon existence. Je voulais aussi visiter le cimetière des Blackstone. C'est tout!

— Mon œil! Je pourrais être plus précis, mais je ne voudrais pas être grossier dans ce cadre luxueux. Oh, Sarah, je voudrais tellement connaître la solution de ton mystère. mais je t'avertis, si ce que je découvre ne me plaît pas...

— Il n'y a pas de mystère!

Il se laissa tomber dans un fauteuil recouvert d'une tapisserie coûteuse.

— Oh! si, il y a un mystère, fit-il, calme et sûr de lui.

Sarah se contenta de grommeler.

— Veux-tu que je te dise ce que j'ai appris à ton sujet, ces derniers jours?

— J'en serais ravie, dit-elle avec sarcasme en retournant s'asseoir à son bureau.

Il ne prêta pas attention à son ironie, et détendit ses longues jambes. Ce qu'il avait appris l'avait à la fois choqué et intrigué, et cela avait rendu Sarah Blackstone et son frère encore plus mystérieux à ses yeux. Mais il refusait d'être leur victime ou leur jouet! Si seulement elle voulait admettre ce qu'elle savait...

— Il y a cinq ans, s'est produit ce que les journaux appellent le « drame des Blackstone », dit-il sérieusement. Ton père, Hamilton Blackstone III, ton oncle,

David Blackstone, et ton fiancé, Ted Delaney ont été tués lors du naufrage de leur bateau. Ils avaient un esprit aventurier, et avaient décidé de sortir en mer malgré les avis de tempête. Leur mort a rejeté un poids considérable sur les épaules des autres Blackstone, et plus particulièrement sur ton frère et toi. Je ne me trompe pas jusqu'ici ?

Elle lui fit un geste approbateur sans desserrer les lèvres.

— Hamilton et toi étiez alors très jeunes. Vous pensiez probablement avoir beaucoup de temps devant vous pour apprendre à diriger la compagnie Blackstone, et vous souhaitiez réaliser certains rêves avant de prendre la relève de votre père et de votre oncle. Vous êtes une famille d'aventuriers, n'est-ce pas ?

Sarah fit un vague geste de la main et répondit :

— A quoi sert d'être riche si on n'est pas aventurier ?

Brad ne sembla pas remarquer le ton léger de la jeune femme.

— Et combien t'a coûté ta petite aventure en montagne ?

— Le prix d'une bicyclette à dix vitesses, je suppose.

Sarah crut voir un sourire s'esquisser sur son visage, mais il se reprit rapidement.

— Par conséquent, Ham et toi-même avez sacrifié vos désirs personnels et vos rêves d'aventure et vous avez repris la compagnie en mains. Ham, qui s'intéressait aux industries, en est devenu le président. Quant à toi, tu préférais la fondation, et tu en as pris la direction, et tu ne jouais qu'un rôle secondaire et purement honorifique dans les industries.

— Hamilton, corrigea Sarah d'un air absent. Personne n'appelle mon frère Ham.

— Très bien. Tout s'est assez bien passé pendant quelques années. Hamilton, dit-il en soulignant le nom, a alors quitté la direction de la compagnie et t'en a laissé l'entière responsabilité.

— A t'entendre, soupira Sarah, Hamilton serait vraiment ingrat.

— N'était-ce pas le cas?

— Non, non, pas du tout. Hamilton était si exigeant envers lui-même...

— Comme sa sœur, murmura Brad.

Elle fit un signe de la main, écartant son commentaire.

— Nous attendions tous beaucoup de lui. Au moment du drame, il travaillait sur sa thèse d'anthropologie. L'an dernier, il a décidé de la terminer. Qui pourrait l'en blâmer? Et il n'a pas quitté la compagnie, mais pris un congé sans solde. Corbin ne pense pas qu'il reviendra, mais moi, j'y crois.

— Corbin?

— Corbin Delaney, l'oncle de Ted. Il est vice-président de la compagnie.

— Je vois.

Brad grimaça d'un air pensif. Sarah mentait peut-être, mais cela ne changeait rien à ses sentiments pour elle. Il le lui avait dit, alors pourquoi insistait-elle? Elle était riche et puissante et n'avait qu'à claquer des doigts pour obtenir ce qu'elle souhaitait — excepté Brad Craig, naturellement. Elle ne cherchait probablement qu'à s'amuser, qu'à avoir une aventure avec lui. Et quand il en serait certain, il lui tordrait le cou, ainsi que celui de Hamilton, et il l'aurait tout de même!

Mais il devait être prudent. Si elle ne connaissait pas la vérité au sujet de « Ham-poté » Black, que se passerait-il lorsqu'elle l'apprendrait? Sa famille avait connu suffisamment de drames pour qu'il ne vienne pas créer de nouvelles perturbations en racontant ce que Hamilton Blackstone IV avait réellement fait au cours de l'année précédente. Une thèse? Il en sourit.

— Et où se trouve Ham, maintenant? demanda-t-il innocemment.

Ham! Sarah réprima un sourire.

— Je ne sais pas exactement. Je ne lui ai pas parlé depuis plusieurs semaines. Je sais qu'il a fait des recherches en Amérique du Sud.

— Son arrière-grand-père « Ham-poté » Premier serait fier de lui, je suppose!

Cette fois, Sarah ne put s'empêcher de rire, faisant apparaître ses fossettes. Comment avait-elle pu penser remettre de l'ordre dans sa vie sans lui?

— Au contraire, répondit-elle. Pour mon arrière-grand-père, les industries Blackstone passaient avant tout le reste. Il ne se lançait dans les aventures que lorsque la compagnie fonctionnait parfaitement. C'est du moins ce que dit la légende. Je parie qu'il avait un personnel très compétent. Comment as-tu appris tout cela à mon sujet?

— J'ai mes sources, fit-il en souriant.

— Il s'agit sans doute des journaux de New-York?

— En effet, répondit-il en riant.

— Très bien, fit-elle, s'efforçant de rester calme. Tu sais pratiquemment tout ce qu'on peut savoir de ma vie ces dernières années. Tu dois donc pouvoir comprendre pourquoi j'ai voulu partir à bicyclette dans les montagnes... Espèce de monstrueux arrogant, termina-t-elle d'une voix égale, en le voyant secouer la tête.

— Écoute, Sarah...

La porte s'ouvrit brusquement. Sarah sursauta, mais poussa un soupir de soulagement en voyant l'élégante silhouette grisonnante de Corbin Delaney. Derrière lui se tenait Debbi Josephs, qui ne savait pas si elle devait s'excuser pour cette intrusion ou s'effacer discrètement.

— Sarah, j'ai entendu parler de divers problèmes ici, et je voulais m'assurer que tout allait bien.

Les yeux de Corbin se posèrent sur Brad dont il détailla le visage familier et la carrure athlétique.

— Mon Dieu, Bradley Craig!

Sarah parvint à marmonner des présentations:

— Corbin, Brad Craig, footballeur. Brad, Corbin Delaney, vice-président de la compagnie Blackstone.

Corbin hocha brièvement la tête et regarda Sarah, qui se demandait si son visage montrait les traces des baisers échangés avec Brad. Brad lui tendit la main, et Corbin, surpris, la lui serra.

— Enchanté de vous connaître, monsieur Delaney, fit Brad en laissant s'exprimer tout son charme.

— Je vous prie d'excuser mon intrusion, reprit

Corbin d'un air confus, et en regardant Sarah comme si elle était responsable. Sarah, nous vous attendons, poursuivit-il sur un ton abrupt et direct.

Elle se tourna pour regarder l'heure sur la pendulette. Dix heures quinze.

— Oh! Je suis vraiment désolée! Quinze minutes de retard. Brad, nous poursuivrons notre conversation une autre fois. J'ai une réunion.

Elle prit sa mallette. Il la croyait lorsqu'elle disait qui elle était, alors pourquoi ne la croyait-il pas lorsqu'elle donnait les raisons qui l'avaient poussée à faire sa randonnée dans les montagnes? Il devait avoir un motif! Elle lui adressa un sourire distant, irritée que Corbin ne s'éloigne pas en la laissant quelques secondes avec Brad, et furieuse que Brad se montre si sûr de lui et mystérieux.

— A bientôt, dit-elle.

Brad sourit et pencha la tête de côté. Elle pensa qu'il n'allait pas répondre, mais il s'inclina légèrement et lui dit :

— Très bien, mystérieuse inconnue.

Le menton droit, elle passa devant Corbin Delaney, interdit, et demanda calmement à Debbi, tout aussi stupéfaite, de raccompagner Brad. Elle ne voulait pas le trouver assis, les pieds sur son bureau, quand elle rentrerait de sa réunion! Elle se tourna vers Brad, qui semblait plus amusé que perplexe. Son étudiante sans argent était devenue une présidente de société, se dit-elle, triomphante, et elle maudit Corbin de se montrer si protecteur alors que c'était tout à fait inutile.

— Brad, j'aimerais dîner avec vous ce soir et... parler. Mon cuisinier de cent vingt kilos préparera le dîner.

Elle lui donna son adresse, qu'il devait d'ailleurs déjà connaître, et, satisfaite d'elle-même, fit demi-tour, non sans remarquer le large sourire de Brad, et sortit de son bureau la tête haute. Elle avait dompté Brad Craig!

Le soir, Sarah rentra chez elle en taxi. Il était déjà

sept heures trente, et elle voulait absolument voir Brad et le convaincre de laisser tomber son masque et de lui dire pourquoi il ne la croyait pas. Elle voulait aussi se trouver une nouvelle fois dans ses bras. Elle n'avait pratiquement pensé qu'à cela toute la journée! Plus d'une fois, Corbin et sa secrétaire avaient dû répéter leurs questions pour attirer son attention. Elle avait expliqué qu'elle avait du mal à reprendre le travail après ses congés, mais elle avait l'impression qu'ils avaient percé son mensonge. En fait, Sarah était persuadée que Corbin n'était venu la chercher que pour écarter ce footballeur trop entreprenant. De même, il l'avait retenue jusqu'à une heure tardive pour qu'elle le fasse attendre. Elle avait téléphoné à sa bonne pour qu'elle retienne Brad, à tout prix, mais il n'était pas encore arrivé. Viendrait-il? Il le fallait!

La maison des Blackstone à New York était très différente du domaine des Craig. Il n'y avait pas de champs ni de forêts, pas de vue sur les montagnes, pas de parterres d'iris. Sarah sourit. Pas de corde pour suspendre le linge. Simplement l'élégance confortable d'un hôtel particulier de trois étages au cœur de New York. Sarah monta les marches et ouvrit la porte en retenant son souffle. Si Brad était là, tant mieux. Sinon...

Elle traversa le hall et arriva dans le petit salon. Brad était installé confortablement dans un fauteuil de style pourtant inconfortable. Le simple fait de le voir lui coupa le souffle. Il avait revêtu un complet clair, qui le faisait paraître encore plus grand, donnait des reflets noirs à ses yeux et des couleurs cuivrées à ses cheveux.

C'est alors qu'elle aperçut Corbin Delaney, installé en face de Brad. Les deux hommes se levèrent.

— Je suis désolée de t'avoir fait attendre, dit-elle à Brad, et elle lança un regard glacial à Corbin, qui resta de marbre.

— Ce n'est pas grave. Je me doutais que ta première journée de travail serait très chargée. Corbin et moi avons eu une conversation fort agréable.

Corbin? Ainsi, ils s'appelaient déjà par leur prénom. Et que lui avait dit Corbin? Sarah serra les lèvres. Corbin savait tout d'elle, mais qu'avait-elle à cacher? Rien! Cependant, elle avait senti chez Corbin une méfiance à l'égard de Brad, ou le soupçon d'une possible liaison entre elle et Brad. Par conséquent, Corbin n'était pas venu pour raconter à Brad des secrets à son sujet, mais pour le jauger et éventuellement l'inciter à sortir de la vie de Sarah. Mais Brad ne semblait pas intimidé du tout.

— Vraiment? fit-elle d'un ton glacial qui s'adressait à Corbin.

Corbin toussota et se tourna vers Brad.

— Je dois rentrer. J'ai apprécié cette petite conversation, Brad.

— Moi aussi, fit Brad en souriant et en lui serrant la main.

Sarah proposa à Corbin de le raccompagner. Dans le hall, Corbin lui serra doucement l'épaule, l'air confus.

— Tu as le droit de m'en vouloir, dit-il.

— Tu es venu pour le juger, n'est-ce pas? demanda-t-elle, mais sa voix s'était faite moins froide.

Corbin agissait ainsi parce qu'il s'intéressait à elle, et c'était une chose très importante pour Sarah.

— Je sais, Sarah, reprit-il. Tu es majeure, présidente d'une importante société, mais dis-moi, combien de footballeurs as-tu connus?

— Et toi, Corbin, combien de footballeurs as-tu jugés?

— Un seul, fit-il en riant.

— Et alors?

— Alors, Brad Craig est un homme charmant. Il a même réussi à me charmer moi-même, et j'étais convaincu avant de lui parler qu'il s'intéressait davantage au nom de Blackstone qu'à toi. Sarah... Je sais que je me mêle de ce qui ne me regarde pas, et je suis désolé. Mais je devais venir ici ce soir, pour me rassurer. Ta vie privée était très calme depuis quelques années.

Sarah le prit par le bras en souriant.

— Tout ira bien, Corbin.

Il secoua la tête, décidé à continuer.

— Tu as rencontré Brad pendant tes vacances, n'est-ce pas? Comment?

Elle lui raconta les faits, sans donner aucun détail. Corbin ne lui demanda pas de précisions.

— Tu viens de vivre une année difficile, Sarah. Très peu de personnes auraient su cumuler tant de responsabilités. Je sais que tu aurais préféré te consacrer à la fondation, mais tu as merveilleusement repris la direction de la compagnie.

— Ce ne sera plus très long, Corbin, dit-elle, peu convaincue elle-même.

— Il ne reviendra peut-être pas, Sarah, fit-il gravement.

Il détourna les yeux, comme s'il regrettait d'avoir abordé ce sujet, et quand son regard bleu et attentif se reposa sur Sarah, il lui parla avec calme et franchise :

— Comme je le disais, Sarah, tu as traversé une période très dure. Je veux que tu saches que je te comprends.

— Corbin, essaierais-tu de me dire quelque chose? demanda Sarah, soudain impatiente. Parce que si c'est le cas...

— Brad m'a dit comment vous vous êtes rencontrés, interrompit-il rapidement. Il m'a parlé de la bicyclette, de la lentille de contact perdue, de tout cela. Il ne comprend pas que tu ne l'aies pas reconnu, et, franchement, je ne le comprends pas non plus.

— Tu le lui as dit?

— Eh bien, oui, je...

Sarah gémit.

— Il m'a demandé mon opinion, et je la lui ai donnée, reprit sèchement Corbin. Sarah, si tu avais voulu rencontrer Brad Craig, je suis certain que nous aurions pu nous arranger.

— Corbin Delaney, si tu penses que j'ai fabriqué tout ce scénario simplement pour l'attirer, eh bien, tu es aussi impossible que lui!

— Cela ne me regarde pas, dit-il après un silence, et il l'embrassa sur la joue. Bonne nuit, Sarah.

— Bonne nuit!

Elle claqua la porte.

8

EN rentrant dans le salon, Sarah trouva Brad les mains dans les poches, occupé à regarder par une grande fenêtre donnant sur la rue. Elle admira la forme parfaite de ses épaules et de ses hanches, le contraste de ses cheveux bruns sur le tissu clair de sa veste, la puissance et la sensualité qui semblaient émaner de lui.

— Eh bien, fit-elle avec un calme feint, tu t'es fait un nouvel allié, mais je suppose que tu le sais déjà.

Brad se retourna avec un demi-sourire.

— Corbin? Il me plaît.

— Il me plaît aussi le traître.

Brad se contenta d'éclater de rire.

Gwen Friedrich, la bonne de Sarah, annonça que le dîner était servi. Brad lança un regard amusé à Gwen, qui, malgré ses cinquante ans, était très séduisante et loin de poser cent vingt kilos. Sarah voulait dire à Brad que Corbin et lui se trompaient à son sujet, et que s'il ne voulait pas la croire, il pouvait partir, mais elle sourit simplement. Ils suivirent Gwen dans la salle à manger.

— Tu as une maison vraiment agréable, Sarah, commenta Brad en voyant les riches tapisseries et la porcelaine fine disposée sur la table.

— C'est mon arrière-grand-père qui a construit cette maison, répondit gaiement Sarah, et...

— « Ham-poté » Premier? demanda Brad.

Sarah sourit à son manque de respect.

— Hamilton Blackstone Senior, corrigea-t-elle en riant. J'ai vécu ici jusqu'à l'âge de dix ans, puis nous sommes partis pour notre... habitation de Westchester.

— Habitation? Est-ce que c'était un château, ou quelque chose de ce genre?

— Eh bien, non, pas un château, bien que le corps de bâtiment soit en pierre de taille, et nous nous amusions à dire que la petite tourelle qui l'ornait était la Tour de Londres. En fait, c'était un endroit très agréable, mais... qui ne correspondait pas à mon style. Ici, la maison ne m'enthousiasme pas, mais j'aime la ville. Mme Friedrich s'occupe de tout.

— C'est ce que je vois.

Sarah éclata de rire.

— Si j'étais seule, je me contenterais probablement de dîner d'un sandwich devant le réfrigérateur. Quand j'étais petite, ma famille n'utilisait cette maison que pour les réceptions et nous venions y passer quelques jours de temps à autre. Un jour, j'ai organisé une surprise-partie ici, tu imagines ça?

Le sourire de Brad était charmeur, mais elle ne parvint pas à lire dans ses yeux, qui brillaient à l'éclat des bougies.

— Tu as un passé étonnant, n'est-ce pas?

— Je suppose.

Il la regarda attentivement, essayant de capter son attention, et lorsqu'il y parvint, elle lut la chaleur dans ses yeux, et sentit que la différence d'éducation qu'il y avait entre eux ne serait jamais un obstacle. Il ne la plaindrait pas et ne lui envierait pas son passé ni son présent.

— Ce passé fait partie de ma personnalité, Brad, dit-elle, mais elle savait qu'il l'avait déjà compris. Je ne passe pas des heures à me demander ce qui serait arrivé si mon père, mon oncle et Ted avaient vécu, mais il m'arrive d'être dépassée par les événements. Pas très souvent, mais de temps en temps. Cela fait cinq ans, Brad. Les plaies se sont cicatrisées.

Ses yeux étaient sombres à la lumière des bougies.

— Tu ne m'as pas encore parlé de Ted, dit-il sans l'accuser car il voulait simplement en savoir plus à son sujet; il voulait tout savoir!

— Ted Delaney était amoureux de celle que j'étais alors, et je l'aimais aussi. Nous nous connaissions depuis notre enfance, et, en sortant de l'université, nous avons décidé de nous fiancer. Nos familles étaient ravies. Ted semblait me convenir parfaitement à cette époque.

— Est-ce qu'il te manque?

Cette question la surprit, mais elle comprit rapidement qu'il l'avait posée sans la moindre jalousie et sans redouter sa réponse. Brad Craig ne pouvait pas envier un homme mort. Elle prit une cuiller en argent et l'examina. Elle était simple, et portait la patine inimitable des années.

— Oh, il m'arrive de regretter ce que nous étions, répondit-elle avec honnêteté, mais de la même manière que je regrette mes années d'université ou mon premier voyage en Europe. J'étais jeune et insouciante, et j'étais libre et amoureuse pour la première fois. Si Ted ressuscitait brusquement aujourd'hui, nous ne pourrions pas reprendre notre liaison là où elle s'est interrompue. Il est mort à vingt-cinq ans. Quand je pense à lui, maintenant, à sa mort, je ressens ce que je ressentirais pour un petit frère que j'aurais aimé et qui serait mort.

Elle reprit la cuiller et sentit la fraîcheur de l'argent centenaire contre sa main. Cet objet semblait la relier au passé; d'une certaine manière, à tous les Blackstone qui avaient vécu, aimé et étaient morts. Et pourtant, elle était également consciente de la présence réelle et forte de cet homme qui n'avait aucun lien avec le passé. C'était une présence différente, mais tout aussi importante.

— Je ne sais pas ce que Ted et moi serions devenus, reprit-elle doucement. Cela n'a d'ailleurs pas d'importance.

— Qu'est-ce qui est important?

Elle posa la cuiller et regarda Brad. Ses mots étaient prononcés au présent, et non au passé. Les fantômes qui hantaient la pièce et son esprit semblaient reculer au son de sa voix bien timbrée. Il la fixait avec intérêt. Sa question n'avait pas été posée au hasard.

— Parfois, je ne le sais plus vraiment, répondit-elle simplement.

— Pourquoi? insista-t-il.

— Parce que, depuis cinq ans, ma vie ne m'appartient plus vraiment. Je ne voudrais pas avoir l'air de m'apitoyer sur mon sort, mais j'ai dû faire face à des responsabilités qui m'ont obligée à oublier mes intérêts personnels. Mon escapade dans les montagnes était la première occasion de remettre de l'ordre dans mon existence depuis le départ de Hamilton, et de trouver le juste équilibre entre le travail et les loisirs.

— Ton désir de retrouver la joie et l'insouciance de ta jeunesse, cita Brad, sans paraître sympathiser le moins du monde avec elle.

Il ne voulait pas s'apitoyer sur l'existence de Sarah, pas plus qu'il ne voulait qu'elle s'apitoye sur elle-même. Il leva son verre, comme pour porter un toast, et lui dit d'un air malicieux :

— Un élément de plus au mystère Sarah Blackstone.

Elle lui lança un regard perçant, mais il éclata de rire.

— Alors, que t'a dit ton chien de garde à mon sujet?

— Corbin Delaney n'est pas mon chien de garde! Il est de ton côté, tu n'as pas oublié?

— Oui, mais j'ai dû le gagner à ma cause. C'est toi qui l'avais envoyé ici pour qu'il me sonde. Pourquoi? Tu n'as pas confiance en moi? demanda-t-il en goûtant son vin.

— Je ne l'ai pas envoyé ici. Il est venu de lui-même, déclara-t-elle, mais Brad eut un sourire sceptique. Corbin est intelligent, astucieux, et je l'apprécie énormément. Dieu sait comment Hamilton et moi nous en serions sortis sans lui. Je sais qu'il se montre parfois un peu trop protecteur avec moi, ainsi qu'avec Hamilton, d'ailleurs, mais je respecte son jugement, et...

— Et comment m'a-t-il jugé? interrompit Brad. Ai-je réussi mon examen?

— Tu sais très bien que oui. Il a avoué être venu

pour « t'inspecter », si c'est ainsi que tu considères les choses, mais ce n'est pas moi qui en ai eu l'idée. Il a également dit que tu avais beaucoup de charme.

— Et tu es d'accord, j'espère?

Sarah le regarda longuement.

— Tu es terriblement sûr de toi, n'est-ce pas?

Il éclata de rire.

— Quand une femme se donne le mal que tu t'es donné pour me rencontrer, je crois avoir des raisons d'être sûr de moi. Mais le dîner va refroidir, Sarah, dit-il en lui présentant le plat.

Ils commencèrent à manger en silence. Sarah était furieuse, mais observait subrepticement Brad, ne levant les yeux que quelques secondes, ou faisant semblant de regarder par la fenêtre derrière lui. Il l'avait irritée, mais elle se sentait tout de même à l'aise, et avait du mal à respirer. Ses paroles et son rire, sa présence, semblaient être des caresses aussi réelles que celles de ses mains et de sa bouche. C'était un homme puissant, sûr de lui et séduisant et aussi à son aise dans cette maison cossue de Manhattan qu'il l'était sur la terrasse de sa ferme dans la montagne, face à une inconnue trempée jusqu'aux os, qui plissaient les yeux pour le voir.

— Où habites-tu? demanda-t-elle brusquement.

— J'ai une propriété à Long Island, répondit-il. Si tu avais attendu quelques jours, tu n'aurais eu qu'à aller là-bas pour me trouver, au lieu de faire cette longue randonnée dans les montagnes, ce qui m'amène à la question suivante : comment savais-tu que j'étais là-bas?

— Je l'ignorais!

— Nouveau système, fit-il en haussant les épaules.

Sarah se resservit sans répondre. Tout en mangeant, elle songeait que Brad Craig était le premier homme qu'elle ait connu qui soit capable de lui couper le souffle de cette manière. Elle se demandait si elle lui faisait le même effet... « C'est un charmeur... » Oui, et il pensait que c'était lui qui avait un mystère à élucider.

Ils mangèrent en silence, un silence lourd de

sous-entendus et de questions sans réponse, de pensées et d'attente. C'était comme s'ils devaient traverser avec dignité l'épreuve du dîner avant de passer au plus important : les caresses, et les baisers. Sarah ne se souciait plus du tout maintenant de retrouver la joie de vivre de sa jeunesse. Elle voulait simplement ressentir les sentiments qu'elle avait partagés avec Brad à l'ombre du pommier.

C'est alors que Gwen Friedrich entra dans la salle à manger et fit signe à la jeune femme.

— Pourrais-je vous parler un moment, Sarah?

Sarah se dit que quelque chose n'allait pas. Un coup de téléphone de sa mère? Tante Anna? Elle s'excusa auprès de Brad, qui prit immédiatement un air soupçonneux, et se dirigea vers la cuisine à la suite de Gwen.

— Gwen, que se passe-t-il?

La bonne lui fit signe de se taire et désigna l'escalier de service.

— En bas, murmura-t-elle. Je me charge de lui, ajouta-t-elle en indiquant la salle à manger.

Sarah ouvrit la bouche pour demander ce qui se passait sous son toit, mais Gwen lui fit signe de se dépêcher. Avec un soupir d'impatience, Sarah descendit avec légèreté au rez-de-chaussée, où Gwen avait un petit appartement. Elle ne savait pas ce qu'elle allait trouver, mais Gwen Friedrich n'avait pas l'habitude de la déranger pour rien. La porte de l'escalier se referma doucement derrière elle.

En se dirigeant vers le salon de Gwen, Sarah aperçut une longue silhouette familière, avec des cheveux blonds, une mâchoire carrée, un long nez et les yeux verts des Blackstone.

— Hamilton!

Hamilton Blackstone IV, vêtu simplement d'un jean et d'une chemisette, observait sa sœur cadette. Il était séduisant, bien qu'un peu trop décontracté selon certaines amies de Sarah, mais son savoir-vivre naturel le rendait irrésistible. Son rire mélodieux était presque aussi agréable que celui de Brad. Sarah, qui n'avait pas vu son frère depuis plusieurs mois, s'émerveilla devant son bronzage, sa minceur, et sa santé débordante. Il était en excellente forme, bien que son corps ne fût pas celui d'un athlète professionnel. L'année qu'il avait passée loin des industries Blackstone lui avait visiblement fait du bien, et elle ne pouvait pas lui en vouloir d'être parti.

— Quelque chose ne va pas, Hamilton? demanda-t-elle, sincèrement inquiète.

— Avec qui diable dînes-tu? demanda-t-il, rouge de fureur, en agitant le poing en direction du plafond.

— Avec Henri VIII, répondit calmement Sarah, méfiante.

— Voyons, Sarah, c'est Brad Craig qui est là-haut, n'est-ce pas? N'essaie pas de me mentir, petite sœur. Je sais que c'est lui! As-tu une idée de ce que tu me fais? Tu es allée dans sa propriété, hein? Quand?

Sarah réfléchissait. Elle se souvint que c'était un certain Hamilton Blackstone IV qui lui avait indiqué l'emplacement de l'ancienne propriété des Blackstone et de leur cimetière... et qui avait négligé de parler du fils des nouveaux habitants.

— Eh bien? reprit-il un peu moins fort.

— La semaine dernière, répondit-elle. Je suis arrivée le dimanche soir très tard et j'y suis restée jusqu'au mardi.

Elle était ennuyée et perplexe, mais Hamilton poussa un gémissement déchirant, comme si elle venait de confirmer ses pires craintes.

— Oh, Sarah!

— C'est toi qui m'as parlé de ce cimetière, Hamilton, souligna-t-elle doucement, mais fermement.

— Je le sais bien! Je ne pouvais pas deviner que tu allais t'y rendre sur-le-champ, voyons! Je suppose que Brad était là-bas?

Elle hocha brièvement la tête.

— Et les parents? gémit Hamilton. Et tu lui as dit qui tu étais?

— Bien sûr, que je le lui ai dit! Mais il ne m'a pas crue.

Hamilton grimaça en silence, et Sarah aperçut des

gouttes de transpiration sur son front. Elle se croisa les bras et l'observa longuement. Il semblait confus.

— Hamilton, fit-elle posément, me cacherais-tu quelque chose?

— Non! Moins tu en sauras, mieux cela vaudra.

Il leva les bras, désespéré.

— Je suis perdu.

Le visage de Sarah se durcit.

— Tu connais Brad Craig?

— Non... oui. En quelque sorte. Oh! mon Dieu, Sarah, grâce à toi, je suis dans une terrible situation.

— Grâce à moi?

— Chut! Il ne manquerait plus que ce gorille descende ici! Ne ris pas! Tu as vu ses bras?

Elle savait que son frère exagérait, et qu'il était plus énervé, ou confus, que véritablement effrayé. Qu'avait-il fait à Brad Craig? Elle retint son rire.

— Tu es presque aussi solide que lui.

— Il pèse vingt kilos de plus que moi! Toi et tes aventures! Je te remercie, petite sœur...

— Tu me remercies? Écoute, si c'est mon excursion dans les montagnes qui a provoqué ta panique, tu aurais pu l'éviter simplement en me disant que Bradley et Dorothy Craig étaient les parents d'un célèbre footballeur!

— Je sais, fit Hamilton, contrit, mais je ne pouvais pas t'en parler à ce moment-là. Enfin, cela ne fait aucune différence, maintenant. Il est à ma recherche à cause de toi...

— Hamilton, qu'as-tu fait? demanda Sarah, qui commençait à être gagnée par l'inquiétude de son frère. Comment connais-tu Brad? Pourquoi as-tu si peur de lui? Allons, ce n'est pas un animal!

Son frère réfléchissait, les lèvres serrées.

— Je peux sortir du pays d'ici vingt-quatre heures.

Sarah éclata de rire, mais il semblait parfaitement sérieux.

— Est-ce que tu lui as parlé de moi?

Elle hocha la tête, et il gémit de nouveau.

— Que lui as-tu dit?

— Pratiquement tout. Il est au courant pour l'accident, ce qui nous est arrivé, ton congé...

— Ma thèse?

— Oui.

— Je suis vraiment perdu, murmura-t-il, perdu.

— Hamilton, veux-tu arrêter? Écoute, si cet homme est dangereux, peut-être...

— Non, non, Sarah, il est aussi pur et honnête qu'on peut l'être, répondit Hamilton avec un certain mépris. C'est moi qui ai tort. Veux-tu m'aider? Ne lui dis pas que tu m'as vu... Sarah, ce n'est pas une plaisanterie!

Elle se reprit et s'éclaircit la gorge.

— D'accord, d'accord, excuse-moi. Je ne lui dirai pas que je t'ai vu, mais à une condition. Tu me dis ce que tu as fait et où tu vas partir.

— Hum, fit Hamilton en secouant obstinément la tête. Il pourrait te forcer à tout avouer s'il te soupçonne d'être au courant. Je sais que je te laisse seule avec lui, petite sœur, mais je n'ai pas le choix, et, de toute façon, tout est ta faute. Je ne l'ai jamais vu violenter une femme, rassure-toi.

— Il y a toujours une première fois, murmura Sarah.

— Tu me couvres, d'accord? Je te rappellerai, dit-il en l'embrassant sur la joue et la raccompagnant jusqu'à l'escalier. Demain soir, je serai en sécurité quelque part en Amérique du Sud. Remonte simplement occuper Brad pendant que je m'esquive par derrière.

— Hamilton...

Elle s'arrêta et soupira. Qu'avait dit Corbin? « Je crois que ton frère a peut-être une case en moins »... Elle sourit et l'embrassa.

— Écoute, pourquoi n'attendrais-tu pas ici quelques minutes? Je vais demander à Brad de partir, et nous pourrons bavarder.

— Non! Sarah, ce n'est pas que je n'aie pas confiance en toi, mais si ce gorille pense un seul instant que je suis ici...

Sa voix s'éteignit et il frissonna.

— Hamilton, fit gravement Sarah. Est-ce que Brad et toi êtes ennemis?

Il ricana.

— Où as-tu pris cette idée? Brad Craig est sans doute mon meilleur ami du monde, c'est bien pour ça qu'il va me briser les os la prochaine fois qu'il me verra.

— La fuite ne résoudra rien.

— Cela lui donnera le temps de se calmer. Du moins je l'espère.

Sarah voulait lui poser d'autres questions, mais Gwen apparut en haut de l'escalier.

— Sarah! Vous feriez mieux de vous dépêcher! murmura-t-elle en faisant de grands gestes.

Sarah se tourna pour embrasser une dernière fois son frère qui lui donna une tape amicale en lui disant d'occuper son visiteur et de ne pas le faire attendre. Elle hésita, soupira, et remonta l'escalier sur la pointe des pieds.

Elle n'eut pas le temps de reprendre ses esprits ni de trouver une excuse à présenter à Brad. Il était appuyé à la porte de séparation entre la salle à manger et la cuisine, un regard mi-furieux, mi-amusé sur le visage.

— Qu'est-ce qui ne va pas? demanda-t-il tranquillement.

— Euh... Non, non, tout va bien.

Elle se sentait prise au piège. Elle faillit lui dire : « Mon frère Hamilton se faufile par la porte de service car il pense que tu vas lui briser les os si tu le trouves. Mais si tu ne le fais pas, je le ferai. Partons à sa recherche. » Mais elle se contenta de lever les bras en souriant et lui proposa un sherry.

A cet instant un bruit sourd leur parvint en provenance du rez-de-chaussée. Brad fronça les sourcils d'un air interrogateur. Sarah se sentit pâlir et chercha désespérément une explication. Gwen Friedrich secoua la tête d'un air ennuyé et fit :

— C'est encore cette machine à laver qui fait du bruit. Sarah, il y a des semaines que je vous demande d'en acheter une neuve...

Elle descendit l'escalier en marmonnant.

— Puis-je vous aider? demanda calmement Brad.

Sarah faillit bondir sur la porte pour la fermer, mais Gwen répondit sans même se retourner :

— Non, non. Il suffit de lui donner un bon coup de pied, et ça s'arrête.

— Donnez-lui en un de ma part aussi, cria Sarah avant de fermer la porte derrière Gwen.

Elle songea que cette femme avait des nerfs d'acier, puis elle se tourna vers Brad. Il n'avait pas bougé.

— Tu préfères peut-être un scotch? demanda-t-elle en claquant des mains.

Brad semblait intrigué. Cette fois, il était sûr qu'elle mentait. Ce bruit n'avait pas été provoqué par une machine à laver. Ham? Il faillit sourire. Mais bien sûr. Qu'avaient-ils mijoté tous les deux, cette fois? Il examina la mince silhouette désirable de Sarah, ses lèvres légèrement entrouvertes qui laissaient échapper sa respiration saccadée, ses yeux verts qui brillaient. Il se trouvait peut-être face au fameux goût de l'aventure des Blackstone. Il songea que s'il s'exerçait à ses dépens, cet esprit aventurier leur coûterait cher!

— Un sherry sera parfait, répondit-il tranquillement.

Il se tourna silencieusement et repartit vers la salle à manger. Sarah ne le suivit pas immédiatement, laissant à son cœur le temps de se calmer, et jurant contre son frère.

« Je sais que je te laisse seule avec lui, petite sœur, mais je n'ai pas le choix, et de toute façon, tout cela est ta faute. »

Qu'est-ce qui était sa faute? Et Brad serait-il du même avis et la blâmerait-il pour ce qui s'était passé avec Hamilton?

« Je ne l'ai jamais vu violenter une femme. » Comment Hamilton Blackstone IV avait-il pu connaître Brad Craig?

Sans trouver de réponse, Sarah rejoignit Brad.

— Tu sais, Brad, fit-elle, pour un homme avec qui j'ai fait l'amour, je sais très peu de choses à ton sujet.

— Vraiment? répliqua-t-il, les sourcils froncés et son verre à la main.

Elle faillit s'étrangler. De nouveau ce doute! Cela, elle en était sûre maintenant, n'était pas sa faute, mais la faute d'un certain Hamilton Blackstone.

— Oui, vraiment! Brad, crois-tu encore honnêtement que je savais qui tu étais quand je suis arrivée chez toi dimanche soir?

— Je posais seulement une question, Sarah, fit-il avec un calme exaspérant.

— Et je viens d'y répondre! s'exclama-t-elle, les mains sur les hanches. Je vais te dire ce que je sais de toi, Brad Craig. Premièrement, tu es un ex-footballeur. Deuxièmement, tu es égoïste et exaspérant. Troisièmement, tu es... Tu es beaucoup trop séduisant même si tu ne me crois pas.

Elle se tourna pour ne pas voir sa réaction et ajouta en faisant un geste vague de la main :

— Il n'y a pas de dessert.

Elle s'éloigna vers le salon sans regarder s'il la suivait. Elle n'entendit rien derrière elle, et songea qu'il allait peut-être partir. Ce serait mieux ainsi. Elle pourrait peut-être retrouver Hamilton et lui soutirer une explication.

Mais voulait-elle que Brad parte? Non, certainement pas!

— Eh bien, dans ce cas, dit-il, quelques centimètres derrière elle, nous devrons improviser notre dessert.

Ce fut son seul avertissement. Sarah s'immobilisa, surprise de ne pas l'avoir entendu approcher, et intriguée par ses paroles. Mais l'instant suivant, sans lui laisser le temps de réagir, deux mains d'acier se posaient sur sa taille.

— Tu es si tendue! fit-il doucement. Est-ce la machine à laver, Sarah, ou moi? Détends-toi, chérie, du calme.

Sarah s'efforça de lutter contre le pouvoir de séduction de ces doigts qui parcouraient ses muscles crispés, envoyant des frissons dans tout son corps. Il ne fallait pas se détendre! Il fallait le questionner, exiger de savoir ce qui s'était passé entre lui et Hamilton.

Mais son inconscient ne voulait pas écouter ces avertissements. Elle ne pouvait pas lutter contre la chaleur qui l'envahissait, le soulagement que lui procuraient ses mains contre elle. Elle ne pouvait ni ne voulait le repousser.

— Tu doutes encore de moi, Brad.

Elle aurait voulu employer un ton brutal et accusateur, mais Brad resserra son étreinte autour d'elle. Elle appuya sa tête contre la poitrine puissante.

— Sarah, Sarah, fit-il. Cela n'a pas d'importance. Je n'ai pensé qu'à toi à chaque minute où nous étions séparés, et maintenant...

Ses doigts se firent plus doux et elle ne put lutter contre la vague de chaleur qui l'envahit alors. Les bras puissants qui l'enlaçaient, la respiration saccadée contre ses cheveux, la caresse de ses doigts, tout cela anéantissait la petite voix rationnelle qui disait à Sarah qu'il fallait lui parler et non se laisser séduire.

Elle sourit de plaisir. Les caresses de Brad la faisaient fondre. Chaque endroit, chaque nerf de son corps espérait le contact des doigts de Brad. Elle était consciente de chacune de ses réactions, du besoin de sentir les mains de cet homme contre la douceur de sa peau, de caresser sa poitrine d'athlète. Ses lèvres tremblaient de passion.

— N'essaie pas de me berner, Sarah, dit-il d'une voix vibrante, sans cesser de la caresser.

Sarah se mit à son tour à effleurer les bras qui l'enlaçaient. Mais plus elle le caressait, plus elle avait envie de se jeter à son cou.

— Brad, je ne...

Qu'essayait-elle de dire? Ses mains remontèrent lentement sur le corps de la jeune femme, et quand il arriva à sa poitrine, elle se plaqua instinctivement contre lui et ne songea plus à lui parler.

Elle se sentait mollir à son contact, et murmura doucement :

— Brad, Brad, je t'en prie...

Sans savoir si elle avait fait demi-tour d'elle-même

ou s'il l'avait retournée, Sarah se retrouva brusquement dans ses bras, plaquée contre lui. Son baiser
arriva avant qu'elle ait eu le temps de réfléchir,
avant que la petite voix de la raison ait protesté. Les
mains de la jeune femme parcouraient les muscles
puissants du dos de Brad, et elle était consciente de
chaque épaisseur de tissu qui séparait son corps de
celui de cet homme.

Leur baiser devint passionné, et Sarah s'accrocha
à lui, priant pour qu'il ne s'arrête pas, oubliant
toutes les voix qui pouvaient lui parler maintenant.
Elle ne sentait que les pulsations de son corps, et
n'avait jamais été aussi heureuse. Les lèvres de Brad
s'écartèrent des siennes, mais elle sentait encore son
souffle chaud.

— Mme Friedrich? demanda-t-il.

— Mme Friedrich? (Sarah sourit en lui caressant
la poitrine.) Elle a un appartement au rez-de-chaussée.

Le rez-de-chaussée, le bruit sourd, la machine à
laver... Hamilton Blackstone IV, Ham Black et sa
lettre, et l'apparition, étrange « coïncidence » de
Sarah devant sa porte, une semaine plus tôt : tout
cela traversa l'esprit de Brad.

— Allons, Sarah, pourquoi ne veux-tu pas me
dire...

Il s'interrompit avant d'en dire trop. Il devait être
prudent, pour elle et pour Ham autant que pour lui,
mais il ne pouvait pas réfléchir alors qu'elle se tenait
si près de lui!

— Te dire quoi, Brad?

Il la regarda, s'attendant à lire dans ses yeux la
peine, le chagrin ou la ruse, mais ne vit que la colère,
et ses bras croisés tandis qu'elle l'observait. Ainsi,
il l'avait mise en colère! Très bien. La Sarah Blackstone, si déterminée, était revenue, mais Brad ne
voyait plus aucun signe de vulnérabilité chez la
jeune femme.

— Me dire comment une femme qui a une bonne
et qui dîne dans la porcelaine et l'argenterie peut
arriver en pleine montagne, trempée jusqu'aux os, à
demi aveugle, et avec sept heures de retard pour un

prétendu rendez-vous avec des personnes qu'elle n'a jamais vues.

Sarah le regarda, irritée, mais moins incrédule qu'elle ne l'aurait été avant la visite d'Hamilton. Manifestement, les soupçons de Brad étaient liés d'une certaine manière à son frère, et aucun d'eux ne voulait lui donner d'explications. Ils craignaient peut-être de l'obliger à prendre parti pour l'un d'eux? Non! Ils pouvaient régler leurs problèmes sans rejeter la responsabilité sur elle ou penser qu'elle y était pour quelque chose! Elle n'avait pas menti, excepté pour la machine à laver.

Brad ne flancha pas sous son regard perçant. Seuls l'éclat de ses yeux et la raideur de son corps faisaient comprendre à Sarah combien il avait du mal à ne pas la toucher. « Oh, mon Dieu, Brad, je t'aime tant, mais j'ai fait une promesse à Hamilton, et il est mon frère », songea-t-elle.

— Allons, Sarah, grommela-t-il, cesse de me regarder comme si tu voulais me planter cette... — c'est une lance? — à travers le corps.

Elle soupira, ennuyée, mais suivit le regard de Brad qui s'était porté vers une lance adossée à une bibliothèque pleine de souvenirs des diverses expéditions de Hamilton Blackstone Senior.

— Oui, répondit-elle sèchement. Mon arrière-grand-père l'a rapportée d'un voyage en Afrique. Et tu as raison, j'ai envie de te la passer à travers le corps! Que vas-tu faire maintenant?

Brad recula et l'examina avec le sang-froid d'un athlète évaluant les forces de l'équipe adverse. Sarah se demanda comment elle avait pu douter de son identité. C'était vraiment un athlète incomparable, songea la jeune femme. Il eut un petit sourire sardonique, et lui mit un doigt sous le menton.

— Je vais partir, Sarah, dit-il doucement, et j'espère que tu comprends à quel point il m'est difficile de ne pas te prendre dans mes bras pour monter ces marches d'acajou...

— De chêne, corrigea-t-elle machinalement, respirant à peine.

Il lui adressa un large sourire.

— Sarah, il va être intéressant et même rassurant de résoudre ton mystère.

— Quel mystère? s'écria-t-elle, et elle se retint à temps pour ne pas dire que Hamilton ne lui avait parlé de rien.

Il siffla d'un air entendu et se dirigea vers le hall, mais il prit le temps de lui sourire.

— Sarah Elizabeth Blackstone, tu es extraordinaire. Bonne nuit, mystérieuse inconnue et souviens-toi : je t'aurais prévenue.

— Assez, Brad Craig!

Il était parti. Elle entendit la porte se fermer. Elle essaya de le chasser de son esprit, mais le souvenir du contact de ses mains l'empêcha de sourire. Elle s'attendait à ce qu'il revienne poursuivre ce qu'il avait commencé. Il ne revint pas, mais elle le comprit, et ses sentiments pour lui s'en trouvèrent renforcés. Comment pouvaient-ils faire l'amour alors que tant de questions demeuraient entre eux?

Mais ils avaient fait l'amour quand il croyait encore qu'elle n'était qu'une pauvre étudiante, — à moins qu'il ait toujours su qui elle était? Mais bien sûr! Puisqu'il était ami avec «Ham»!

Sarah grommela et se mit à marcher de long en large, sa colère croissant à chaque pas qu'elle faisait sur le tapis persan. Hamilton avait-il joué un tour quelconque à Brad, et Brad l'utiliserait-il simplement pour retrouver Hamilton?

— Pauvre Hamilton, s'exclama-t-elle avec un rire sec. Et pauvre de moi!

Elle monta dans sa chambre et prit un livre — le plus intéressant qu'elle pût trouver — et décida de le lire en prenant son bain. Elle devait arrêter de réfléchir! Mais elle ne parcourut que trente pages, voyant sans cesse devant elle le sourire narquois et moqueur de Brad. Les mots dansaient devant ses yeux, et pour la première fois de sa vie, elle ne parvint pas à se concentrer. Elle regarda son corps et se souvint de sa réaction au contact de celui de Brad. Elle repensa à ce qu'il lui avait dit...

Non, elle ne devait plus se torturer! Il était parti.

Mais il avait autant besoin d'elle qu'elle avait besoin de lui. Cela ne faisait aucun doute. Elle l'avait lu dans ses yeux, senti dans son corps. Il lui aurait été si facile de rester! Mais à quoi cela aurait-il servi? Ils auraient assouvi leur passion mutuelle, mais auraient-ils résolu quoi que ce soit? Peut-être que Brad avait plus de sang-froid et de raison qu'elle, qu'il était plus responsable et comprenait mieux qu'elle ce qu'ils étaient l'un pour l'autre et ce qu'ils pourraient devenir.

Son départ indiquait peut-être à quel point il lui était attaché, à elle et à leur avenir ensemble. Sarah imagina le regard plein de promesses de ses yeux sombres, et jeta son livre à travers la pièce.

— Ne sommes-nous pas vertueux? s'exclama-t-elle en ricanant avant de se laisser retomber dans l'eau chaude.

Elle devait découvrir quel était le mystère de Brad, ce qu'Hamilton avait fait, et pourquoi il avait prétendu qu'elle était responsable, ce qui bien sûr ne pouvait être vrai. Elle n'était qu'une participante innocente. Hamilton pouvait l'aider... non, il était parti pour l'Amérique du Sud et ne lui serait d'aucun secours. Elle devrait faire face à Brad toute seule.

Quelle merveilleuse aventure en perspective!

9

QUAND Sarah rentra d'une série de réunions, le mardi matin, Debbi Josephs la suivit dans son bureau et lui énuméra le nom des personnes qui désiraient parler à la présidente des industries Blackstone. Finalement, elle conclut en redressant ses lunettes sur son nez :

— M. Craig a également appelé. Il a dit, et je cite : « Dites à Sarah qu'aujourd'hui je joue au détective et que je la verrai demain. »

Sarah, conformément à la tradition de sang-froid des Blackstone, remercia poliment Debbi et la pria de fermer la porte en sortant. Quand la secrétaire fut partie, elle compta mentalement jusqu'à cinq avant de lancer un agenda à travers la pièce en exultant. Il jouait au détective ? Que voulait-il dire ?

Il poursuivait peut-être Hamilton en Amérique du Sud. Elle éclata de rire. Cette situation était vraiment absurde ! Comment avait-elle donc pu s'y trouver mêlée ? Pour une fois, elle était contente d'être submergée de travail.

N'ayant pas reçu de nouvelles de Brad ce soir-là ni le mercredi matin, elle commença à se demander s'il n'avait pas vraiment suivi son frère en Amérique du Sud. Elle ne s'inquiétait pas pour Hamilton ; il était assez grand pour se débrouiller seul, et, quoi qu'il ait pu faire, Brad ne lui briserait pas les os. Elle se dit que Brad pouvait effrayer ainsi un ami, mais qu'il n'était tout de même pas un animal. En revanche, ce qui la préoccupait, c'était ce qui se produirait lorsque Brad découvrirait que sa mystérieuse inconnue n'avait finalement rien de mystérieux. Elle ne lui avait menti qu'au sujet de la machine à laver.

Sarah soupira en prenant un yaourt sur son bureau. Au moins, le reste de la famille Blackstone ignorait qu'elle « voyait » un champion de football. Elle commençait à manger avec plus d'enthousiasme quand la porte s'ouvrit brusquement. Brad entra, sans Debbi Josephs sur les talons.

— Je me suis faufilé pendant que ton cerbère était aux toilettes, dit-il aimablement en refermant la porte derrière lui. Est-ce que le moment est mal choisi?

— Brad! s'écria Sarah, lâchant sa cuiller sur son buvard immaculé. Je croyais que tu étais en... Non, le moment n'est pas mal choisi, je déjeunais.

— Et j'espérais t'inviter. Eh bien, cela me paraît bien maigre, Sarah. Je pensais que tu avais des déjeuners d'affaires guindés tous les jours.

Sarah s'efforça de se contrôler. Sa réaction viscérale à la présence de Brad l'effrayait, comme la manière si nonchalante avec laquelle il était entré dans sa vie, et le changement qui s'était produit en elle — ainsi que dans l'ambiance même de son bureau — depuis qu'il était entré. Il portait un pantalon bleu marine et une chemise à carreaux, et il avait un journal plié à la main, mais sa sensualité et son charme semblaient envahir la pièce.

Mais Sarah se souvint brusquement qu'il avait passé la journée à jouer au détective — sans lui téléphoner. Elle s'adossa à son fauteuil et demanda froidement :

— Pourquoi n'ajoutes-tu pas cela à la longue liste de tes mystères? T'es-tu bien amusé en faisant le détective, hier?

— Énormément, répondit-il avec un sourire franc.

— Et qu'as-tu découvert?

— Que tu avais des jambes maigres quand tu avais dix-neuf ans. J'ai aussi appris que tu n'assistais pas à un match de football de temps à autre, mais que tu avais un abonnement à l'année quand tu étais à l'université. Il me semble, Sarah, que tu étais plutôt une passionnée de football.

— De football universitaire, corrigea-t-elle avec un calme qu'elle était loin de ressentir. Et c'était il y a de nombreuses années, ajouta-t-elle en se demandant où il avait pu recueillir de tels renseignements.

Il se pencha vers elle.

— Sais-tu combien d'années j'ai joué en première division, Sarah? Onze ans. Et auparavant, j'étais le meilleur marqueur de l'université du Michigan.

— J'ai suivi le football universitaire pendant quatre ans.

Sarah serra les lèvres. Lui et ses soupçons! Ou bien devait-elle plutôt s'en prendre à Hamilton? Elle leur en voulait à tous les deux!

— D'accord, admettons que tu dises vrai, concéda-t-il. Il ne te paraît pas étrange qu'une femme qui s'est intéressée de près à ce sport pendant quatre ans puisse ignorer le nom du meilleur marqueur de l'équipe de sa ville, qui vient en plus de remporter la finale du championnat?

— Si cette femme travaille entre dix et douze heures par jour, non, cela ne m'étonne pas!

Brad regarda le portrait de « Ham-poté » Premier. Sarah savait-elle combien sa mère et sa tante s'inquiétaient à son sujet et désiraient qu'elle trouve un juste équilibre entre son travail et sa vie privée? Savait-elle que sa famille souhaitait l'aider? Connaissant Sarah comme il la connaissait, Brad se dit qu'elle ne voulait sans doute pas les importuner avec ses problèmes, ou qu'elle cherchait simplement à les résoudre seule. Eh bien, il l'aiderait, que cela lui plaise ou non!

Il descendit du bureau où il s'était assis avec une grâce et une aisance qui fascinèrent Sarah, et s'approcha d'elle, lui prenant les mains pour examiner ses paumes.

— Je ne vois pas de traces d'ongles, Sarah.

Elle retira ses mains.

— Très amusant, dit-elle. Maintenant, dis-moi comment tu as appris tout cela concernant mon intérêt pour le football pendant mes années d'université?

Il resta près d'elle, un éclat moqueur dans le regard, et Sarah sentait qu'il s'amusait.

— Oh, j'ai mes sources.

— Ma mère?

Elle n'y croyait pas, mais il répondit en souriant :

— Très astucieux de ta part. J'ai pris le thé avec elle hier après-midi. C'est une femme charmante et très intelligente, ainsi que ta tante. Et à mon avis, Sarah, cet endroit où elles habitent ressemble à un château de Bavière.

Elle avala difficilement sa salive.

— Tu as pris le thé avec ma mère et ma tante?

— Oui, et elles m'ont même offert quelques petits sandwiches, répondit-il. C'était très amusant et instructif. Sarah, sais-tu que tu pourrais d'un simple coup de stylo te libérer de la plupart de tes responsabilités? Tu pourrais laisser la charge de la compagnie à Corbin. De toute façon, c'est lui qui t'a appris tout ce que tu sais. Ainsi, tu pourrais t'occuper de la fondation, puisque c'est ce que tu préfères.

— Tu as pris le thé avec ma mère et ma tante? répéta-t-elle, encore sous le choc. Alors, elles savent que je... Pour toi...?

Il secoua tranquillement la tête.

— Elles ne savent rien, Sarah. Tu crois que je serais arrivé en disant que j'étais Brad Craig et que j'étais tombé amoureux de leur fille et de leur nièce, que je pensais donc qu'il était temps de prendre le thé avec elles en leur demandant si possible d'ajouter quelques sandwiches. Je ne suis pas idiot à ce point, Sarah.

Elle se mit à rire malgré elle. Brad posa un doigt sur chaque fossette de la jeune femme.

— Tu sais que tu es très mignonne?

— On ne m'a jamais dit que j'étais mignonne, répondit-elle, mais elle songeait qu'on ne l'avait jamais non plus traitée de bouledogue, de lionne ou d'étudiante sans le sou.

— Cela ne m'étonne pas. On te dit plutôt que tu es ravissante, hein?

Il laissa tomber devant elle le journal qu'il avait

apporté. C'était l'un des journaux à scandales les plus connus de New York.

— J'ai pensé que tu ne lisais pas souvent ce genre de publications; j'en ai donc apporté un exemplaire. Tu n'as pas encore reçu de coups de téléphone, n'est-ce pas? Je n'ai pas dit à Judith et Anna que je voyais leur petite Sarah...

— Alors, que leur as-tu dit pour qu'elles te racontent tant de choses à mon sujet...

— J'ai remarqué tes jambes maigres sur une photo, fit-il en riant, et le reste est venu tout naturellement.

— Mais comment...

Sarah s'interrompit en voyant Brad ouvrir le journal à la page des potins mondains et désigner une photo. Elle reconnut immédiatement Brad, photographié devant chez elle, dans un complet clair, et sur une autre photo, elle-même qui poussait la porte. Au-dessus, on pouvait lire cette légende en gros caractères : « Le footballeur Brad Craig tenterait-il de séduire la jeune et riche Sarah Blackstone? »

— Oh! mon Dieu.

— Je suis du même avis. Si Judith et Anna ont vent de ça, Dieu seul sait ce qu'elles penseront de moi. Elles ne voudront plus jamais croire un mot de ce que je leur dirai.

Sarah le regarda.

— Drôle d'impression, n'est-ce pas? Et elles auront même des raisons de ne pas te croire. Que leur as-tu dit?

— La vérité! déclara-t-il, puis il ajouta : J'ai simplement omis certains faits. Et ne me regarde pas de cet air supérieur, Sarah! J'ai moi aussi beaucoup de raisons de ne pas te croire!

— Donne-m'en une!

— Allons, Sarah, regarde ces photos! Et j'ai sympathisé avec ta mère et ta tante. Si j'avais vu l'idiot qui a pris ces clichés, je lui aurais arraché son appareil.

Sarah respira profondément et examina les photos.

— Tu sais, c'est une intrusion inadmissible dans

notre vie privée. Crois-tu que nous devons leur faire un procès?

Brad la regarda et se demanda combien de fois Sarah avait dû faire face aux escrocs qui pullulaient dans son univers, et si elle savait qu'elle devait faire preuve de méfiance parce qu'elle s'appelait Blackstone et valait des millions. Il s'était tellement préoccupé des tours qu'elle essayait de lui jouer qu'il n'avait pas envisagé qu'elle puisse s'inquiéter de sa propre attitude. Mais il ne se souciait pas de tous ses millions! Il l'avait bien prouvé lorsqu'il avait fait l'amour à son étudiante sans argent sous ce pommier!

— Ce ne serait pas très utile, répondit-il en s'efforçant de la rassurer. Je connais cela depuis mes débuts dans le monde du football. Ça fait partie du métier.

Elle plissa les yeux, sentant qu'il essayait de l'avertir, de lui faire comprendre que son aventure avec un footballeur risquait d'être beaucoup moins discrète qu'elle ne l'aurait souhaité.

— Brad, si tu essaies de m'effrayer, tu n'y arriveras pas. Je préférerais que cela ne se sache pas, mais je suis capable de faire face à cette situation.

La détermination brillait dans ses yeux clairs, et elle avait la mâchoire serrée. Brad sourit.

— J'en suis certain.

— Tout de même, reprit-elle en regardant les photos, ma mère va m'en vouloir.

— Elle va nous en vouloir à tous les deux.

— Que pouvons-nous faire?

— Espérer qu'aucun Blackstone n'aura l'idée de lire les journaux à scandales aujourd'hui.

— *Les* journaux?

— Quand il y a un idiot, il y en a toujours d'autres, dit-il en souriant.

— Non!

— Je crains que si. Je sais que c'est un choc la première fois, mais ensuite, on s'y habitue. On est bien obligé, d'ailleurs. Je te l'ai dit, si j'avais vu ces idiots, j'aurais pris leur pellicule et je les aurais renvoyés. Cela m'est déjà arrivé. Généralement, ils ne discutent pas.

— J'en suis certaine, murmura Sarah.

— Ce n'est pas que je sois naturellement porté sur la violence, mais ces types me tapent sur les nerfs. Mais je ne les ai pas vus, et maintenant, nous allons devoir nous en sortir au mieux. Ce qui est fait est fait, et on doit bien reconnaître qu'il n'y a pas de fausse information là-dedans.

Le ton amusé de sa voix fit lever les yeux à Sarah, et elle frissonna en le regardant. Elle aurait voulu qu'il l'embrasse pour lui faire oublier ses soucis. C'est alors que sa secrétaire l'appela en annonçant que son frère était en ligne. Sarah s'éclaircit nerveusement la gorge, s'efforçant en vain de se reprendre, mais accepta de répondre au téléphone.

— Je te croyais en Amérique du Sud, commença-t-elle, les yeux rivés sur Brad.

— C'est donc que je ne suis pas aussi peureux que je le pensais, répliqua Hamilton sans s'excuser. J'ai vu les journaux, Sarah. Tu sais que nous sommes tous les deux finis maintenant, n'est-ce pas? Brad n'était peut-être pas vraiment concerné auparavant, mais désormais, il l'est.

Sarah aurait voulu poser des centaines de questions, mais Brad ne la quittait pas des yeux. Elle sourit et poursuivit dans l'appareil :

— Où es-tu?

— A New York, répondit Hamilton après une légère hésitation. Écoute, je n'ai pas pu te laisser seule avec Brad, ou bien le laisser seul avec toi, si tu préfères. Le célèbre footballeur Brad Craig tenterait-il de séduire la jeune et riche Sarah Blackstone?

— Tu parles comme si c'était ma faute...

— Mais c'est ta faute, même si tu ne pouvais pas savoir ce que tu faisais. Je comprends cela très bien.

Était-ce un effet de son imagination ou Brad s'était-il légèrement rapproché d'elle? Elle constata que les jointures de ses doigts étaient blanches sur le téléphone.

— Nous en parlerons plus tard, dit-elle presque calmement. Où puis-je te joindre?

C'est alors que Brad intervint :

— Je ne voudrais pas te déranger dans ton travail, Sarah.

Il ne se moquait plus d'elle. Il souhaitait vraiment ne pas la gêner. Elle leva la main, l'arrêtant avant qu'il ne puisse partir.

— Non, non, Brad...

— Brad! hurla Hamilton dans son oreille. Tu veux dire qu'il est avec toi? Pourquoi ne me l'as-tu pas dit?

— Je n'ai pas pu.

— A-t-il des soupçons? reprit Hamilton.

Sarah s'obligea à ne pas regarder Brad et replaça une mèche rebelle derrière son oreille, très posément.

— Je ne sais pas.

— Cela ne me surprend pas, fit sèchement Hamilton, puis il prit une voix sérieuse et grave. Sarah, écoute-moi sans m'interrompre. Je veux reprendre ma place au sein des industries Blackstone. J'ai eu ma récréation, en quelque sorte, et maintenant, je suis prêt à revenir. Brad est un ami, mais il pourrait rendre mon retour difficile et embarrassant, voire impossible. Je suppose que c'est pour ça que je me comporte d'une manière si bizarre. Je ne peux pas l'expliquer, et je ne veux pas l'expliquer, mais j'ai besoin de ton aide. Veille à ce qu'il sache que je n'avais rien à voir dans ta décision stupide de faire cette excursion dans les montagnes. Ne lui parle pas de moi, en ce qui te concerne, je suis en Amérique du Sud, et tiens-le éloigné du reste de la famille. Veux-tu faire ça pour moi, petite sœur?

Hamilton reprenait sa place dans les industries Blackstone! Elle eut du mal à ne pas bondir.

— Pour tes deux premières demandes, je ferai mon possible, mais en ce qui concerne la troisième, il est déjà trop tard.

— Quoi?

Avec Brad auprès d'elle, comment Sarah pouvait-elle parler de son après-midi passé à parler de ses jambes maigres avec sa mère et sa tante?

— Je te conseille de prendre contact avec ma

mère, Judith Blackstone. Elle pourra sans doute t'aider, répondit-elle d'un air mystérieux. Maintenant, je suis vraiment pressée. Au revoir.

— Sarah!

Elle raccrocha. Brad s'était approché d'elle et la regardait d'un air inquisiteur, mais elle se contenta de rire et de faire un geste vague de la main.

— Les affaires, fit-elle.

Brad fronça les sourcils d'un air soupçonneux, et à cet instant, Sarah comprit qu'Hamilton avait dit la vérité, même s'il ne s'était pas expliqué. Ils étaient pris au piège. Elle avait menti au sujet de la machine à laver et du coup de téléphone. Brad était-il tellement obsédé par l'idée d'un piège que deux mensonges innocents pouvaient ressembler à une conspiration à ses yeux?

Et que pouvait faire un ex-joueur de football qui fût de nature à rendre difficile et embarrassant le retour de Hamilton Blackstone IV à ses fonctions de P.-D.G. de la compagnie Blackstone?

Son petit rire s'arrêta dans sa gorge, et ses questions, ainsi que sa détermination, s'envolèrent. Combien de mensonges du même genre Brad avait-il fait?

Elle se leva et adressa un sourire froid à Brad. Quelle était l'importance de quelques mensonges insignifiants en comparaison de la sensualité de Brad et de ce désir soudain qu'elle avait de se jeter à son cou?

— Que pensais-tu faire pour le déjeuner?

— Tu vas sans doute me parler des milliers de choses que tu as à faire, et de ton habitude de déjeuner d'un yaourt dans ton bureau?

— Je pourrais, répondit-elle, impassible, puis elle sourit. Mais je pourrais aussi te dire que Corbin m'a conseillé de prendre une semaine de congés supplémentaires, et que je peux très bien laisser à d'autres le soin de se charger de mon travail cet après-midi...

— Cet après-midi? Est-ce que cela ne serait pas un déjeuner bien long? fit-il avec un large sourire.

En voyant son sourire éclatant et ses yeux

moqueurs, Sarah oublia son envie de découvrir ce qui s'était passé entre Brad Craig et Hamilton Blackstone. Elle s'en moquait. Ou plutôt, elle ne s'en moquait pas, mais elle voulait simplement passer un moment avec Brad, être auprès de lui, satisfaire ce besoin brutal en elle, apprendre à le connaître, bien plus qu'elle ne désirait enquêter sur lui. Hamilton et ses problèmes pouvaient attendre... éternellement si c'était nécessaire. Pour le moment, elle ne pensait qu'à ces étranges frissons qui lui couraient dans le dos.

— Eh bien...

Brad éclata de rire.

— Si nous organisions un autre pique-nique?

— Un pique-nique? demanda-t-elle, et cette idée réveilla de merveilleux souvenirs. Brad, nous sommes à New York!

— Vous autres, P.-D.G., vous manquez d'imagination, dit-il en riant.

Ils marchaient côte à côte sous le doux soleil de juin, et Sarah avait l'impression d'être redevenue une étudiante, jeune, libre et heureuse. Comment avait-elle pu ressentir ces impressions sans avoir Brad à ses côtés? Elle était une femme d'affaires célèbre, avait de grandes responsabilités, mais pour le moment, elle aurait voulu retirer ses chaussures et courir pieds nus dans la fontaine. Elle avait envie de crier au monde entier qu'elle était amoureuse de l'homme le plus merveilleux et le plus fascinant qui puisse exister.

Brad la regarda et lui sourit, partageant sa joie. Elle savait que lui aussi aurait aimé courir pieds nus dans la fontaine. Elle songea avec amusement que les journaux à scandales auraient été ravis de cette aubaine.

— Où m'emmènes-tu? demanda-t-elle.

— Dans les magasins.

— Pour pique-niquer?

— Non, petite écervelée. Je dois envoyer un cadeau à ma petite nièce. Que peut-on acheter à un bébé de moins de deux semaines?

Sarah réfléchit un moment.

— Tes parents n'ont pas d'autres petits-enfants, n'est-ce pas?

Brad glissa sa main dans la sienne, et elle leva la tête vers lui, sans se soucier de ses fossettes. Elle se sentait un peu étourdie. Le soleil dansait sur les cheveux de Brad et accentuait sa cicatrice. Amusant, sensuel, charmeur... et c'était cet homme qui pouvait rendre le retour de son frère difficile et embarrassant... Elle décida d'oublier cela momentanément.

— Eh bien, fit-elle, se reprenant, je suppose que dans ce cas, elle doit être très gâtée. Nous devrions lui acheter quelque chose d'amusant et de peu ordinaire.

— Nous? J'aurais bien envie de faire quelque chose d'amusant et de peu ordinaire...

— Ici?

Ses yeux brillèrent, et il la serra contre lui au milieu des passants qui se bousculaient sur les trottoirs. Le contact de sa taille mince et l'odeur de son parfum léger chassèrent de l'esprit de Brad toutes les questions concernant son frère et les complots qu'ils pouvaient préparer ensemble. Il savait qu'elle avait eu Ham au téléphone, mais cela lui était égal. Que pouvaient contre lui deux riches Blackstone? Que pouvaient-ils espérer de lui? Il se dit que cette petite aventure était sans doute pour eux un moyen d'oublier le passé et d'entamer une existence saine et intéressante. S'ils voulaient l'utiliser dans ce but, pourquoi pas? Mais il aurait sa revanche.

Pour le moment, la seule chose qui lui importait était la présence de Sarah à ses côtés.

— Je suppose que je pourrais tenir un peu plus longtemps, répondit-il en riant.

Ils trouvèrent de nombreuses idées de cadeaux dans les magasins, et pendant l'un de ses rares moments de lucidité, — quand elle parvint à s'arracher à la contemplation de ce corps merveilleux et de ces yeux rieurs — Sarah se dit qu'un homme qui faisait des achats pour un nouveau-né ne terroriserait jamais qui que ce soit, à plus forte raison un ami... du moins, sans avoir un motif valable.

Ils décidèrent finalement d'acheter des survête-
ments et des chemises aux couleurs de l'équipe des
New York Novas en quatre tailles différentes : trois
mois, six mois, un an, et dix-huit mois. La vendeuse,
très impressionnée, demanda à Brad de lui signer un
autographe. Il accepta volontiers, puis il désigna
Sarah en ajoutant à l'adresse de la vendeuse :

— Vous devriez lui en demander aussi. Elle est
plus riche que moi.

Sarah lui donna un coup de genou, mais il éclata
de rire. La vendeuse ne savait visiblement plus quoi
penser, mais elle ne demanda pas d'autographe à
Sarah.

Ils hélèrent un taxi, et Brad donna au chauffeur
l'adresse de Sarah dans la Cinquante-Sixième Rue.
Elle le regarda, étonnée.

— Je croyais que nous allions pique-niquer.

— En effet, fit-il en s'installant auprès d'elle.
L'autre soir, avant l'arrivée de Corbin, Mme Friedrich m'a servi mon premier apéritif sur ta terrasse.
Je lui avais dit qu'il faisait trop beau pour rester
enfermé, et elle m'a fait monter sur ton toit.

Au souvenir de leur dernier pique-nique, Sarah lui
demanda :

— Pas de panier, cette fois ?

Ils se regardèrent, et il lui sourit. Sarah se sentit
envahie par un sentiment qui allait au-delà de la
passion : l'amour.

Elle poussa un profond soupir de satisfaction,
comprenant que Brad était l'homme qu'elle aimait,
et qu'elle aimerait toujours. Elle se sentait enthou-
siasmée, pleine de vie, mais également un peu
effrayée.

10

Avant de sortir pour l'après-midi, Gwen avait préparé une salade de crevettes que Brad découvrit dans le réfrigérateur.

— C'est le dîner, l'avertit Sarah.

— Il me semble que ça ferait un excellent déjeuner, répondit-il en riant.

— Je croyais que nous devions manger des hot-dogs.

— Pourquoi manger des hot-dogs lorsqu'il y a des crevettes?

— Gwen t'arrachera les yeux.

— Ne t'inquiète pas, je sais me défendre.

Sarah sourit à son ton malicieux.

— Je n'en doute pas.

— Je voudrais que tu saches, madame la Présidente, que j'ai quitté l'université bardé de diplômes.

— Vraiment?

— Vraiment, fit-il en agitant la poivrière. J'ai un diplôme de communications, et naturellement, j'ai obtenu un diplôme d'économie entre deux saisons de football.

Sarah se croisa les bras et ne résista pas à l'envie de le taquiner à son tour.

— Tu as vraiment un diplôme d'économie? fit-elle, soupçonneuse.

- Il éclata de rire, saupoudrant de poivre la salade de crevettes.

— Tu ne crois pas que je confierais mon argent à des bureaucrates de ton espèce pour qu'ils le gaspillent? Je préfère le gaspiller moi-même.

Sarah se demanda à quoi ressemblerait la vie aux côtés d'un homme aussi solide et imperturbable. Merveilleux, ce serait absolument merveilleux.

— Tu crois qu'il y a du pain? Ah oui! fit-il en prenant une corbeille remplie de petits pains ronds. Merci, Gwen.

Sa bonne humeur était contagieuse, et Sarah se surprit à rire sans raison, et sentit de nouveau cet étrange sentiment qui lui donnait des étourdissements. En voyant Brad se diriger vers la porte, elle ouvrit le réfrigérateur et en sortit une bouteille de vin rosé.

— Une femme comme je les aime, dit-il.

— Gwen ou moi?

Il se contenta de rire, mais quitta la pièce sans lui donner de réponse.

Ils s'installèrent confortablement sur la terrasse de Sarah, ornée de jardinières contenant des géraniums et des plants de tomates, et équipée d'une table, de deux fauteuils et d'un hamac, trois étages au-dessus de l'agitation de New York. Brad indiqua le hamac en disposant la salade et le pain sur la table.

— Tu n'as jamais peur de trop te balancer et de te retrouver dans la Cinquante-Sixième Rue?

— Pas du tout, répondit sérieusement Sarah. Les voisins en seraient horrifiés. De toute façon, il est accroché trop bas. Si je me balance, je me tape la tête dans ce mur.

— J'espère que c'est un mur solide.

— Je reconnais que je ne l'ai jamais testé. Mais tu peux l'essayer.

Il s'installa dans un fauteuil.

— Je crois que je préfère garder mon énergie pour d'autres choses.

Sarah remarqua l'éclat particulier de ses yeux, et s'empressa de s'asseoir de l'autre côté de la table pour mettre une certaine distance entre eux, entre le défi et les promesses qu'il représentait et sa propre tentation d'y succomber. Elle était amoureuse de lui, cela ne faisait aucun doute, mais était-ce raisonnable? Il avait passé toute la journée de la veille à

125

fouiller dans son passé, il avait pris le thé avec sa mère et sa tante Anna et discuté de ses années d'université. Il avait terrifié son pauvre frère au point que celui-ci avait voulu s'enfuir en Amérique du Sud plutôt que de faire face à cet homme qui était pourtant censé être son ami. De plus, il ne la croyait pas, et, à cause de lui, la photo de Sarah s'étalait dans les journaux à scandales.

S'il y avait un homme dont une femme de sa position, avec ses responsabilités, devait se méfier, c'était bien Brad Craig!

Mais elle soupira d'aise, en se disant que tout cela ne l'empêchait pas d'être amoureuse de lui.

Il servit le vin et lui tendit un verre. Quand il se rassit, son pied effleura celui de la jeune femme sous la table, et ce simple contact fit passer des vagues de passion dans tout le corps de Sarah.

— Parle-moi de la fondation Blackstone, dit soudain Brad très calmement.

— Quoi?

Sarah leva les yeux, surprise par sa question. Elle s'attendait à ce qu'il évoque des sujets beaucoup plus personnels.

Elle se dit qu'elle aurait dû se sentir soulagée, mais ce n'était pas le cas. La fondation... Que voulait-il savoir? Elle but une gorgée de vin plus importante qu'elle ne l'aurait voulu.

— Eh bien, elle a été créée par mon arrière-grand-père en 1902 lors d'un de ses rares accès de zèle philanthrope. Sa femme et lui avaient toujours été fascinés par l'archéologie, l'anthropologie et l'histoire des civilisations antiques.

— Ce qui explique le tapis persan et la lance, intervint Brad.

— En effet. La fondation était leur manière d'encourager et de contribuer à la recherche.

Sarah parlait machinalement, plus captivée par la présence de cet homme à ses côtés que par le sujet qu'elle évoquait. Ses doigts tremblaient contre son verre, et elle posa rapidement sa main sur ses genoux. Mais ils continuaient à trembler, non par nervosité ou par crainte, mais d'enthousiasme à l'idée qu'elle se trouvait en compagnie d'un homme qu'elle adorait.

Les yeux sombres de Brad reflétaient les éclats du soleil, mais son visage était sérieux et concentré.

Il se demandait pourquoi Ham voulait qu'il devienne membre de la fondation. Qu'en pensait Sarah? Etait-elle au courant? Il ne pouvait pas croire que toutes leurs manigances, y compris l'escapade de Sarah dans les montagnes, ait eu pour seul objectif de l'inciter à devenir membre de la fondation Blackstone. Il leur aurait suffi de le lui demander!

Il s'adossa confortablement à son siège.

— Et la fondation encourage la recherche dans ces trois domaines?

Sarah hocha la tête.

— Elle a en effet pour objectif de promouvoir les recherches, les découvertes et l'application des connaissances essentiellement dans les domaines de l'archéologie, l'anthropologie et l'histoire ancienne. La fondation fonctionne par prêts et par bourses, et dans une moindre mesure, par des activités directes. J'ai toujours souhaité accroître le nombre de ces activités.

— Mais le départ de Ham t'en a empêchée, ajouta brièvement Brad. Qui sont les membres?

Sarah sentait toujours cette flamme passionnée brûler en elle, et elle devait faire de gros efforts pour paraître froide et détachée. Elle fit appel à toutes les règles de bienséance que lui avaient inculquées sa mère et sa tante.

— Pourquoi n'as-tu pas posé cette question à ma mère et à ma tante pendant ta journée de détective? demanda-t-elle.

— Qui dit que je ne leur ai pas posée? fit-il avec un sourire impassible.

— Dans ce cas, pourquoi me le demander de nouveau?

— Simplement pour parler.

— Et pour voir si je mens? répliqua-t-elle avec un éclair dans ses yeux verts.

— Pourquoi mentirais-tu? C'est du domaine

public, non? De toute façon, Sarah, je ne le leur ai pas demandé. Vas-tu répondre à ma question?

Elle s'assit sur le bord de son fauteuil et répondit sèchement :

— Ainsi que tu le sais, je suis P.-D.G. Il n'y a pas d'autres dirigeants. Les membres sont Hamilton Blackstone IV, annonça-t-elle, puis elle s'arrêta, attendant une réaction, mais Brad ne broncha pas. Ma mère, Judith Blackstone, ma tante, Anna Hampton Blackstone, ma grand-mère maternelle, Ruth Wellington, et Corbin Delaney.

Brad eut un instant la tentation de faire sourire la jeune femme, simplement pour voir apparaître ses fossettes sur ses joues, mais il s'obligea à demander :

— Es-tu satisfaite de cette composition?

— Non, répliqua-t-elle brusquement, irritée par ses questions — elle n'avait pas la moindre envie de parler de la fondation — et aussi par le refus de Brad d'avouer qu'il connaissait Hamilton. J'ai toujours pensé que pour maintenir le prestige de la fondation, nous devrions faire appel à des personnalités célèbres.

« Comme des footballeurs retraités, peut-être », songea Brad. Elle utilisait toujours son ton de femme d'affaires et lui lançait maintenant l'un de ses regards perçants, mais cela lui était égal. Il demanda d'un air pensif :

— Les Blackstone ne sont-ils pas des personnalités célèbres?

— Nous essayons de rester discrets, répondit-elle. A moins d'être surpris avec des footballeurs renommés.

Brad ignora son commentaire.

— Alors, quel genre de personnalités cherches-tu?

— Un anthropologue, archéologue ou historien éminent serait un excellent atout, mais j'aimerais aussi qu'une personnalité connue du public se joigne à nous.

— Par exemple?

— Oh, je ne sais pas. Un acteur, peut-être, ou bien

un écrivain... Ou peut-être un footballeur célèbre. Quelqu'un qui soit aimé et admiré du public.

Brad leva les yeux vers le ciel bleu, puis il regarda de nouveau Sarah. Il était très sérieux.

— Et qui a le pouvoir de désigner de nouveaux membres?

— En réalité, n'importe quel membre de la fondation, expliqua-t-elle. Nous n'avons pas de comité de désignation, ni de choses de ce genre.

— Est-ce que vous votez?

— Cela ne nous est encore jamais arrivé, mais nous n'avons accepté qu'un nouveau membre depuis que je suis présidente.

— Qui? demanda Brad en buvant encore un peu de vin.

— Corbin, répondit Sarah en se demandant quelle importance cela pouvait avoir.

Brad repoussa sa chaise en arrière, de manière à poser son pied sur son genou.

— Et que se passerait-il si quelqu'un voulait faire entrer un autre membre, mais que plusieurs personnes y soient opposées?

— Dans ce cas, c'est moi qui aurais le dernier mot.

— En tant que Présidente.

— C'est l'un de mes rares privilèges, fit-elle en souriant humblement. Mais franchement, je ne vois pas comment quelqu'un pourrait proposer l'adhésion d'un nouveau membre sans l'accord préalable des autres. Nous ne travaillons pas de cette manière.

— En effet.

— Brad, fit-elle doucement, est-ce que tu sais quelque chose que j'ignore?

Il sourit soudain, un éclair malicieux dans le regard.

— Chérie, j'espère savoir plusieurs choses que tu ignores.

— Ce n'est pas ce que je voulais dire, et tu le sais! Pourquoi me poses-tu toutes ces questions?

Elle essaya de trouver une façon de présenter les choses sans trahir son frère, bien qu'il n'eût pas mérité sa protection. Si seulement Brad voulait tout avouer, ils pourraient repartir à zéro. Elle essaya de réfléchir, mais en vain. Son frère, comme son père et son oncle avant lui, ne s'occupait pratiquement que de la compagnie, et très rarement de la fondation.

— Je t'en prie, dis-le-moi, Brad. Pourquoi toutes ces questions?

— Simple curiosité.

Elle ne put lui en faire dire davantage.

Sarah déjeuna de bon appétit. Un fois de plus, Hamilton passa à l'arrière-plan de ses pensées. Brad semblait très intéressé par tout ce qu'elle avait à dire. Il l'écoutait. Et tout ce temps, elle continua à sentir les vagues de son amour pour lui se déchaîner en elle.

A la fin du repas, Sarah se laissa tomber dans le hamac et le regarda en riant.

— Il est encore tôt, dit-elle. Qu'allons-nous faire du reste de l'après-midi?

Souple et rapide, Brad bondit vers elle, renversa le hamac et rattrapa Sarah au vol, avant qu'elle ait pu tomber sur le sol carrelé.

— Brad, tu m'as fait peur!

Mais elle riait toujours. Brad la souleva sans aucun effort dans ses bras puissants, et lui sourit avec une expression de sensualité qui coupa le souffle à la jeune femme.

— C'était bien toi qui voulais retrouver l'insouciance de ta jeunesse, dit-il d'une voix étouffée.

Elle lui passa les bras autour du cou. Le contact de sa peau, de son torse enivra Sarah.

— Je ne pense pas que quelqu'un m'ait jamais portée de cette manière, ni même essayé de le faire, fit-elle avec un petit rire. Autant pour l'insouciance de ma jeunesse.

— Il y a une différence entre retrouver et revivre, Sarah. J'espère que tu n'essaies pas de revivre...

— Non, l'interrompit-elle brusquement. Non, il n'y a jamais eu dans ma vie un homme comme toi, Brad. Jamais.

Il murmura son nom, et elle effleura du doigt les muscles tendus de son cou.

— Tu n'as pas répondu à ma question, Brad.

— Vraiment? murmura-t-il.

Il sourit et la reposa sur le sol. Son regard était plein de tendresse, mais la passion brûlait derrière la douceur de ses yeux. Il s'écarta d'elle, mais elle sentait encore le contact de sa peau, comme s'il la touchait. Il lui parla d'une voix calme, sincère.

— Je veux passer le reste de l'après-midi à te faire l'amour, Sarah. Ce que j'ignore de toi et ce que tu peux avoir en tête, ce que je soupçonne ou ce que je ne soupçonne pas n'a aucune importance pour le moment. Cela n'a aucun rapport avec ce que je ressens pour toi. Mais je veux que tu le saches, Sarah : je suis honnête avec toi.

Elle hocha la tête, essaya de sourire, de parler, mais ne parvint pas à proférer un son. Elle songea qu'il n'était pas totalement honnête. Mais elle faillit rire. Et elle, lui avait-elle dit qu'Hamilton était venu? Ils avaient tous les deux leurs secrets. Mais qu'ignorait-il d'elle? De quoi la soupçonnait-il? Et pourquoi, pourquoi fallait-il qu'il parle de tout cela maintenant?

Sans dire un mot, elle le regarda faire demi-tour et s'éloigner à l'intérieur de la maison. Il partait. Le silence de la jeune femme n'était pas une réponse, simplement une réaction, un signe de son incertitude, mais il l'avait pris pour un refus.

Non, elle ne passerait pas l'après-midi avec lui... Elle ferma les yeux et serra les poings. «Pas avant qu'il m'ait parlé de *Ham*, se dit-elle. Pas avant qu'il me croie!» Elle resta immobile, incapable de comprendre les signes que lui communiquaient son corps et sa raison.

— Ne pars pas.

Avait-elle parlé tout haut? Elle ouvrit les yeux. Le soleil était brûlant sur la terrasse. Elle n'entendait que les bruits assourdis de la ville autour d'elle.

— Ne pars pas!

Elle courut à la porte, l'ouvrit, et descendit l'escalier quatre à quatre. Elle se pencha au-dessus de la rampe pour mieux voir le hall au-dessous d'elle.

— Brad, c'est vrai que cela n'a pas d'importance. Je t'en prie, ne pars pas.

Silence.

Elle descendit au rez-de-chaussée à toute vitesse et se retrouva dans l'entrée.

— Et voilà, je suis sûre qu'il est parti, fit-elle, avant d'appeler une nouvelle fois : Brad!

Quelque chose lui effleura l'épaule et se posa sur sa hanche. Elle fit volte-face et se heurta à Brad Craig.

— Tu me cherchais? fit-il doucement.

— Brad, je croyais... je...

La surprise qu'il lui avait faite, outre sa course dans les escaliers, avaient précipité son souffle, et maintenant, ce sourire sensuel et amusé, et le corps de Brad contre le sien lui coupaient totalement la respiration.

Il la prit par les épaules.

— Tu ne pensais pas que j'allais partir sans attendre ta réponse, n'est-ce pas?

— Je croyais... quand je n'ai pas répondu... Je pensais que tu avais pris mon silence pour un refus.

— Chérie, fit-il en riant et sans cesser de caresser ses épaules, le seul refus que je pourrais accepter devrait être fait par écrit, de préférence en triple exemplaire. Ou bien... Ou bien un simple non.

— Tu n'auras ni l'un ni l'autre, dit-elle en souriant.

— C'est ce que je pensais.

La bouche de Brad se posa doucement sur la sienne. Puis il lui sourit, et, sans un mot, il pivota et entra dans la chambre de Sarah. Elle le suivit lentement, en le regardant.

A l'intérieur, il se retourna vers elle.

— Je me doutais que ta chambre était celle où se trouvait la collection de flèches, dit-il avec amusement en désignant une vitrine.

— Ce sont des pointes de projectiles, corrigea-t-elle en se glissant dans ses bras. Il n'y a pas que des flèches.

Il éclata de rire, et elle caressa doucement son cou. Son rire s'arrêta, et il la regarda, puis il prit sa main et embrassa posément chacun des doigts de la jeune femme. Alors, ses caresses se dirigèrent vers la gorge de Sarah.

— Tu es très belle, Sarah, dit-il avec douceur. Tu es adorable, intelligente, et si humaine... Je pourrais très bien tomber amoureux de toi... si ce n'était déjà fait, ajouta-t-il en souriant.

— Brad...

Son pouce caressa le cou, la mâchoire, et arriva sur la bouche de Sarah.

— Ne me dis rien que je ne veuille pas entendre, Sarah. Laisse-moi simplement t'aimer.

— C'est tout ce que je veux, Brad, souffla-t-elle.

Il la déshabilla lentement.

— Le vert te va bien, dit-il machinalement, puis il sourit. Cela me rappelle ces yeux verts plissés pour tenter de me voir sous la pluie. Je suppose que tu as remplacé tes lentilles?

— J'en avais une autre paire.

— Ha, ha, quel heureux hasard, fit-il tandis que la jeune femme s'attaquait aux boutons de sa chemise.

Cette fois, le doute était très léger dans sa voix, et Sarah décida d'en sourire.

— Un jour, tu regretteras de ne pas m'avoir crue immédiatement, Brad Craig.

— Sarah, fit-il, il y a un temps pour taquiner, un temps pour discuter, et un temps pour aimer...

Ils fondirent dans les bras l'un de l'autre, et s'embrassèrent passionnément. Sarah déshabilla à son tour Brad, et il la déposa précautionneusement sur le lit.

— Je n'ai jamais ressenti pour une femme ce que je ressens pour toi, Sarah Blackstone, dit-il d'une voix hachée. Je pense que c'est la première et la dernière fois. Je voulais que tu le saches.

— Oh, Brad!

Elle appuya sa tête sur la puissante poitrine. Comment pouvait-elle exprimer tout son amour? Et si elle le lui avouait, la croirait-il?

Elle oublia cela dans la chaleur de leurs baisers et de leurs caresses qui s'intensifièrent, et ils finirent par rouler sur les draps frais en riant. Dans la passion qui les consumait, ils n'étaient plus qu'un, et au moment de l'explosion finale, ils retinrent leur souffle un instant, avant de s'effondrer dans les bras l'un de l'autre.

Beaucoup plus tard, ils remontèrent sur la terrasse, et terminèrent la bouteille de vin en enveloppant les cadeaux pour le bébé.

— Je ne me suis pas sentie aussi jeune, libre et heureuse depuis des années, fit Sarah. Peut-être jamais, d'ailleurs. Crois-tu que ce soit l'effet de ton célèbre charme?

Il la regarda en souriant.

— Qu'est-ce que ça pourrait être d'autre? répliqua-t-il avec un clin d'œil entendu.

— Espèce de prétentieux, s'exclama-t-elle en riant.

Mais elle songeait que depuis que Brad était entré dans sa vie, il lui avait communiqué sa joie de vivre et son insouciance. Avec lui, elle ne pensait plus à ses problèmes ni au besoin de redonner un équilibre à son existence. Ces difficultés s'aplanissaient d'elles-mêmes.

Quand Gwen rentra, Brad murmura à l'oreille de Sarah :

— Dis-lui qu'elle devra s'habituer à satisfaire un appétit solide.

Il songeait à la salade de crevettes que Gwen avait prévue pour le dîner. Puis il s'approcha de Sarah et prit un ton sensuel :

— Toi aussi, chérie, mais un appétit différent!

11

CE soir-là, après le départ de Brad, Gwen Friedrich dissuada Sarah de partir seule à la recherche de Hamilton.

— Vous devez être patiente et laisser les réponses venir d'elles-mêmes, dit-elle sur un ton énigmatique quand Sarah lui eut tout raconté.

— Je veux trouver Hamilton avant que Brad ne le découvre, répliqua Sarah.

— Pourquoi?

— Parce que j'aimerais sauter à la gorge de mon frère chéri avant Brad! Oh!... Ce n'est pas tout à fait vrai, Gwen. Je crains que si Brad découvre quelque chose qui ne lui plaît pas — à propos de Hamilton et de moi — il ne disparaisse de ma vie.

Gwen fit un signe de dénégation, absolument sûre d'elle.

— Vous vous inquiétez inutilement. Je peux vous dire d'après le regard de cet homme qu'il reviendra, quoi qu'il puisse trouver. C'est une bonne chose, car j'en ai assez de m'occuper uniquement de vos repas et de votre maison. Je voudrais avoir des bébés à surveiller.

— Gwen!

— Regardez les yeux de cet homme, répéta-t-elle avec un grand geste des bras, avant de s'éloigner.

Sarah resta donc chez elle et dîna en compagnie de sa bonne. Elle se demandait ce qu'aurait dit Brad s'il avait entendu les paroles de Gwen. Il aurait probablement éclaté de rire. Mais rirait-il en découvrant qu'elle avait protégé Hamilton?

Gwen répondit aux appels téléphoniques qui se multipliaient à l'heure où Sarah rentrait habituellement du bureau. Anna Blackstone fut la première à téléphoner : elle voulait dire qu'elle avait apprécié la visite de Brad Craig, mais qu'elle avait été choquée par les journaux du matin. Maintenant, ses enfants et ses amis ne parlaient plus que de la photo de cousine Sarah et se demandaient s'ils pourraient avoir un autographe de Brad Craig par son intermédiaire. Corbin Delaney savait que Sarah avait quitté le bureau plus tôt, mais il voulait lui faire savoir qu'il avait lu les journaux et qu'il était d'accord avec leurs descriptions élogieuses de la jeune femme. Gwen transmit tous ces messages très sérieusement et sans ajouter le moindre commentaire.

Mais l'appel de Judith Blackstone fit sortir Sarah de son humeur léthargique.

— Votre mère souhaite vous faire savoir qu'elle apprécie beaucoup monsieur Craig et qu'elle espère que vous savez ce que vous faites, annonça Gwen calmement. Elle aimerait que vous déjeuniez avec elle demain après la réunion, et que vous lui fassiez des confidences, conclut Gwen avec un petit sourire.

Sarah bondit de son fauteuil, ce qui surprit Gwen.

— La réunion! s'écria-t-elle. Oh, mon Dieu, comment ai-je pu oublier! Demain, les membres de la fondation Blackstone tiennent leur réunion d'été. Je suis la présidente, et j'avais oublié!

— Vous êtes trop sévère avec vous-même, lui dit calmement Gwen. J'imagine qu'il est facile d'oublier certaines choses lorsqu'on vit une romance avec un homme d'un mètre quatre-vingt-quinze et quatre-vingt-dix kilos.

Sarah laissa retomber ses bras.

— Comment connaissez-vous ses mensurations?

— J'ai regardé la finale du championnat, répondit Gwen en haussant les épaules.

Sarah grommela. Elle voulait consacrer son temps et son énergie à la fondation, et pourtant, elle avait oublié la réunion. Sans ses responsabilités écrasantes au sein de la compagnie et le chaos provoqué par son frère et Brad Craig...

— Hamilton peut aller au diable!

Naturellement, elle savait que cette réunion allait avoir lieu. Son rapport était prêt sur son bureau depuis la veille de son départ pour les montagnes. C'était à cause de cette réunion qu'elle n'avait pas pris une semaine de vacances supplémentaire. Elle y avait pensé le lundi, et l'avait noté sur son agenda. C'était gravé dans son esprit d'une manière définitive : les membres de la fondation se réunissaient chaque année le dernier jeudi de juin.

Mais elle n'y avait plus pensé depuis que Brad Craig était entré comme une tornade dans son bureau, le lundi matin.

— Oh, Gwen, gémit-elle en se rasseyant, que vais-je faire?

Gwen s'installa face à Sarah et attendit patiemment qu'elle s'explique.

— Cet après-midi, Brad m'a posé toutes sortes de questions sur la fondation : qui sont les membres, est-ce que j'en suis satisfaite, quelles personnalités je souhaiterais accueillir, comment les nouveaux membres sont admis...?

— Et il se trouve que les membres se réunissent demain, conclut Gwen, impassible.

— Ce n'est pas une coïncidence! s'exclama Sarah en bondissant sur le tapis persan. Je dois trouver Hamilton!

— Soyez patiente.

— Gwen, cette réunion a lieu demain! fit Sarah, impatiente et furieuse. Que puis-je faire?

Sans un mot, Gwen se leva et se dirigea vers la salle à manger. Elle en revint avec une bouteille de sherry et deux verres. Elle en remplit un, qu'elle tendit à Sarah.

— Buvez ça et soyez patiente. Maintenant, si vous voulez bien m'excuser, il y a un match de baseball à la télévision. Voulez-vous le regarder avec moi?

Sarah secoua la tête et ajouta :

— Je me demande ce qui serait arrivé si Brad avait joué au baseball et non au football.

Gwen s'éloignait déjà vers la cuisine, mais elle répondit sans se retourner :

— Vous ne vous seriez pas rencontrés. L'équipe de baseball de New York vient de rentrer d'une longue tournée.

— Il aurait pu appartenir à une autre équipe, fit Sarah en riant.

— Oh, je ne m'occuperais pas des enfants d'un joueur d'une autre équipe!

Les enfants. Sarah grommela et s'adossa à son fauteuil. Elle faillit renverser son verre, mais parvint à le porter à sa bouche.

Qu'avait fait Hamilton?

Une heure plus tard, Hamilton utilisa sa clé de la maison Blackstone et entra par la porte principale, à toute vitesse. Sarah en était à son troisième sherry, et elle attendait toujours. Elle leva les yeux vers la silhouette séduisante de son frère, vêtu d'un pantalon kaki et d'une chemisette. Elle décida de réagir comme l'aurait fait Gwen Friedrich : d'une manière calme et énigmatique.

— Entre, Hamilton, fit-elle tranquillement. Tu n'as pas à t'inquiéter, Brad n'est pas ici.

Hamilton avança jusqu'à la cheminée de marbre.

— Je sais qu'il n'est pas ici. Il est dehors, à ma poursuite! Douze heures encore avant que la corde se noue à mon cou.

Il se passa la main sur la mâchoire, l'air très nerveux.

Sarah but tranquillement son sherry. La réunion des membres de la fondation se tiendrait douze heures plus tard. Hamilton s'arrêta, regarda le verre de sa sœur, grimaça, et se dirigea vers la salle à manger. Il en revint avec un verre plein de bourbon.

— Comment vas-tu, Sarah? demanda-t-il avec un peu de retard.

— Je suis furieuse et hésitante, fit-elle en lançant un regard perçant à son frère. Brad doit venir à la réunion des membres de la fondation demain, n'est-ce pas?

Hamilton souffla bruyamment et se laissa tomber dans un fauteuil.

— Oui, reconnut-il. Je l'ai invité, ou plutôt, Hamilton Blackstone IV l'a invité. Avant que tu ne com-

138

mences à m'attaquer, Sarah, veux-tu répondre à une question : es-tu amoureuse de lui?

Sarah regarda son frère, et vit qu'il était parfaitement sérieux.

— Selon les rumeurs, poursuivit-il, on vous a vus cet après-midi main dans la main devant un magasin. Sarah, je te promets de m'arranger pour qu'il ne te réduise pas en bouillie comme moi. Je sais qu'il me reste peu de temps, mais j'y arriverai.

Sarah poussa un profond soupir. Elle n'avait pas besoin de dire à son frère qu'elle était amoureuse de Brad. Il le savait déjà.

— Hamilton, Brad n'est pas un animal. Tu pourrais commencer à résoudre tes problèmes en n'ayant plus peur de lui.

Hamilton s'adossa et considéra sa sœur.

— Ce ne serait pas très intelligent de ma part.

— Oh, voyons, Hamilton. Ce n'est pas parce qu'il est plus robuste que toi...

— Beaucoup plus robuste que moi, coupa Hamilton. Et il aurait parfaitement raison de me réduire en bouillie — au sens figuré, bien sûr — après ce que je lui ai fait.

Sarah plissa les yeux et termina son sherry.

— Et que lui as-tu fait?

— C'est une longue histoire.

— Nous avons toute la nuit.

Il y eut un mouvement sur leur droite, en provenance du hall, puis le timbre grave de la voix de Brad résonna :

— Au contraire.

— Oh, mon Dieu! murmura Sarah.

Hamilton pâlit en voyant la grande silhouette apparaître sur le seuil.

Brad avança en souriant dans le salon. Il portait un jean et un pull-over vert foncé, et ses chaussures de sport rendaient sa démarche souple et silencieuse. Ses yeux étaient fixés sur Sarah; elle portait un déshabillé clair, mais elle aurait préféré ce grand peignoir d'éponge.

— Bonsoir, Sarah, fit-il d'une voix grave où ne perçait aucune ironie.

— Bonsoir, répondit-elle nerveusement en remplissant son verre. Assieds-toi. Un sherry? proposa-t-elle sur un ton un peu trop enjoué.

— Je resterai debout, fit-il, et non, merci pour le sherry. Bonsoir, Ham, ajouta-t-il en se retournant vers Hamilton, qui avait adopté la position de calme stoïque familière aux Blackstone.

Hamilton répondit par un sourire crispé et vida son verre de bourbon.

— Mon frère pensait que tu étais à sa poursuite, déclara la jeune femme, comme s'il s'agissait de la chose la plus stupide qu'elle ait jamais entendue.

— C'est exact, fit Brad en haussant les épaules.

— Oh, mon Dieu.

— Sarah, voudrais-tu te taire avant de nous créer des problèmes plus graves? intervint Hamilton. Tu as toutes les raisons de m'en vouloir, Magic, mais je voudrais que tu me laisses une chance de m'expliquer. Je sais ce que tu penses, mais tu as tort.

Sarah regarda son frère puis l'homme qu'elle aimait, et leur dit tranquillement :

— Je suppose que vous vous connaissez?

— Je ne connais pas Hamilton Blackstone IV, répondit Brad d'une voix grave mais moins dure. Mais je connais Ham Black; nous le surnommions « Ham-poté ».

Hamilton se frotta la nuque.

— Je sens que le nœud se resserre.

— C'est toi qui as mis la corde en place, répliqua Brad, et il se dirigea vers un canapé situé tout près de Hamilton. Vas-y, explique-toi.

Hamilton but une longue gorgée de bourbon pour se donner des forces, puis il reposa son verre sur la table.

— Il y a quelques mois, j'ai décidé que je voulais — que je devais — revenir au sein des industries Blackstone, mais je n'avais pas envie de perdre tous les amis que j'avais connus dans le monde du football. J'ai pensé que je devais te familiariser peu à peu avec l'idée que j'étais Hamilton Blackstone, et pas seulement Ham Black. Je pensais que cela t'amuserait, et cela aurait peut-être été le cas sans ma petite sœur Sarah que voici.

Sarah ouvrit la bouche pour protester et questionner, mais avant qu'elle ait pu proférer un son, Brad répondit :

— C'est possible.

Hamilton sembla soulagé.

— Continue, ordonna Brad.

— Mon erreur a été de parler à Sarah du cimetière des Blackstone.

— Non, ton erreur a été de ne pas me dire qui tu étais vraiment, il y a un an, corrigea Brad.

— Oui, tu as également raison, répondit Hamilton avec un sourire innocent. Mais, de toute évidence, je n'allais pas dire à ma famille que j'étais Ham Black.

— Cela ne me semblait pas si évident.

— Je le sais maintenant, et j'en suis désolé. Si j'avais appris que Sarah s'était précipitée dans les montagnes, je n'aurais jamais envoyé cette lettre...

Sarah ne put se contenir plus longtemps.

— Quelle lettre? Et qui diable est « Ham-poté » Black?

Brad, à la fois soupçonneux et amusé, regarda Sarah :

— Mercredi, le lendemain de ton départ si brutal, j'ai reçu une lettre de Hamilton Blackstone IV me demandant d'assister à une réunion des membres de la fondation Blackstone le jeudi de la semaine suivante, et me priant d'envisager la possibilité de devenir membre de la fondation. Ainsi que tu t'en souviens, Sarah, je n'avais jamais entendu parler de la fondation Blackstone, ni des Blackstone, avant ton arrivée chez mes parents à minuit le dimanche précédent, et même à ce moment-là, je croyais que tu avais tout inventé.

— Tu es arrivée à minuit? s'écria Hamilton. Sarah, voyons, maman ne t'a donc rien appris?

Brad interrompit Hamilton par un regard sombre.

— Ainsi, ce n'était pas prévu, déclara-t-il.

— Tu crois que je t'aurais envoyé ma propre sœur à minuit?

Brad avait du mal à réprimer son sourire. Sarah voyait qu'il était très amusé, mais elle ne partageait pas sa bonne humeur.

— J'avais eu des problèmes avec ma bicyclette et j'avais perdu une lentille de contact...

Hamilton éclata d'un rire nerveux.

— Je ne m'étonne plus que tu aies songé à me tuer, Brad. Sarah, tu croyais qu'un célèbre champion de football pourrait croire à une telle histoire?

— C'était la vérité! Et j'ignorais qu'il était footballeur!

— Oh, non! Tu veux dire... Tu as dit à Brad que tu ne l'avais pas reconnu?

— Et c'était vrai! protesta-t-elle.

Brad étendit ses longues jambes et les croisa en disant calmement :

— Et le lendemain de son départ, j'ai reçu une lettre de Hamilton Blackstone IV. J'ai d'abord été intrigué, mais enchanté, naturellement. C'est alors que j'ai commencé à me poser des questions.

— Et tu as fait des recherches, compléta Hamilton.

— Je suis allé visiter le cimetière de Sarah et j'ai découvert toute une série de Hamilton Blackstone, ce qui, bien sûr, m'a fait penser à mon ami « Hampoté ». J'ai donc téléphoné, et j'ai laissé un message disant en substance que je soupçonnais Ham Black et Hamilton Blackstone IV d'être une seule et même personne.

— Et le message ajoutait, interrompit sèchement Hamilton, que s'il découvrait que j'étais également Hamilton Blackstone IV, mon compte était bon.

Brad sourit, impassible, et haussa les épaules.

— J'étais un peu perturbé.

— Un peu! Au nom du ciel, Brad, je pensais que tu allais me tuer, et que si tu ne le faisais pas, elle s'en chargerait! s'écria Hamilton en désignant sa sœur.

Essayant de garder les yeux fixés sur son frère et Brad à la fois, Sarah ne dit rien. Elle se souvenait du conseil de Gwen : « Les réponses viendront d'elles-mêmes. »

— Ham, nous sommes amis depuis un an. Tu aurais dû comprendre que je n'allais pas te tuer.

— Simplement me broyer quelques os, murmura Hamilton.

Brad éclata de rire.

— Je ne m'imagine toujours pas Ham Black dans la peau d'un président de société! Écoute, je croyais que toi et Sarah m'aviez tendu un piège en inventant cette histoire d'industries et de fondation Blackstone; j'avais donc décidé de prendre une revanche. Mais c'est alors que j'ai découvert que mon ami « Ham-poté », l'entraîneur, était bien Hamilton Blackstone IV...

— Ton ami « Ham-poté », l'entraîneur! hurla Sarah. Que veux-tu dire? Enfin, tous les deux...

Hamilton s'agita dans son fauteuil, mal à l'aise, et Brad, compatissant envers son ami, lui dit :

— Il faudra bien qu'elle le sache tôt ou tard, Ham.

— Elle va me tuer, murmura Hamilton, puis il sourit à Sarah : Je t'aime beaucoup, petite sœur.

Elle inclina la tête en direction de son frère. Brad dissimulait un sourire derrière sa main.

— Hambone l'entraîneur?

Hamilton eut un sourire morose.

— Sarah, l'an dernier, quand je t'ai dit que je prenais un congé sans solde pour terminer ma thèse... eh bien, j'ai menti.

— Tu as menti!

Parfaitement détendu, Brad posa ses mains sur ses cuisses et regarda Hamilton.

— Tu dois tout dire, l'ami.

— Je ne t'en veux pas d'être furieuse, Sarah. C'est pourquoi je ne t'ai pas tout avoué depuis le début. C'était une chose que je devais faire, pour oublier tous mes problèmes...

— Qu'est-ce que tu devais faire?

Il se gratta l'oreille d'un air pensif.

— Profiter de mon influence pour devenir l'entraîneur de l'équipe des Novas... Un entraîneur de peu d'importance.

— Oh, mon... Dieu!

— Tu parles comme tante Anna.

Brad s'esclaffa. Hamilton semblait avoir la gorge sèche et les mains moites. Il se sentait pris au piège. Sarah connaissait bien ce sentiment.

— Si tu te souviens, Sarah, j'ai toujours aimé le football, reprit-il. J'ai joué quatre ans pour l'équipe de Harvard...

— Du football de fillettes, grommela Sarah.

Son frère poursuivit ses explications sans tenir compte de son interruption.

— Je me sentais déjà assez coupable envers Corbin et toi, mais je savais que cela ne durerait qu'un an... et que je reviendrais en meilleure forme : plus heureux, et en bonne santé. Mais comment aurais-je pu avouer cela à qui que ce soit? Je savais que vous ne verriez pas d'objection à me laisser terminer ma thèse. Mais devenir un entraîneur de football? Si tu t'y étais opposée, Sarah, je ne suis pas certain que j'aurais pu partir.

— Tu as donc simplement décidé de ne rien dire, fit Sarah d'un air impassible.

— Je n'avais pas le choix. Je pensais qu'il était préférable pour nous deux que tu ne saches rien. Je suis désolé pour les problèmes que je t'ai causés cette année, mais je ne regrette pas ce que j'ai fait. Il fallait que je le fasse, Sarah.

Elle comprit, mais le choc et... non pas la colère mais le chagrin l'empêchèrent de le lui dire. Elle avait accepté le surcroît de responsabilités, le poids du travail supplémentaire, en pensant que son frère réalisait son rêve de terminer sa thèse d'anthropologie. Mais avait-elle le droit de choisir ses rêves à sa place? Et aurait-elle accepté sa décision, un an plus tôt? Elle ne le savait pas. C'est pourquoi elle ne pouvait blâmer Hamilton de lui avoir menti. Il avait réalité son rêve. Le simple fait de le voir, éclatant de santé, mince, bronzé, heureux, lui indiquait que leurs sacrifices de cette année n'avaient pas été consentis en vain.

— La lettre que j'ai écrite à Brad avait pour but de lui faire accepter plus facilement la vraie identité de Ham Black, expliqua Hamilton. Mais c'était aussi un moyen de te faire accepter mes activités de l'année écoulée, Sarah. Puis, quand tout cela m'a explosé au visage... mon Dieu, j'ai cru que j'allais vous perdre tous les deux. Sarah, prends une année de repos. Fais ce que tu veux, sois ce que tu veux. Je te remplacerai

Le regard de la jeune femme, distant mais point froid, se posa sur lui, et elle dit doucement :

— Je veux devenir une présidente active de la fondation. Si tu reprends la direction des industries Blackstone, je pourrai m'y consacrer.

Hamilton sourit, soulagé.

— Je vais reprendre ma place.

Sarah ne lui rendit pas son sourire. Elle fixa Brad, assis sur le canapé, détendu, qui la regardait, ainsi que son ami Ham.

— Tu savais tout ? demanda-t-elle sur un ton accusateur.

Ils avaient fait l'amour cet après-midi même, et il ne lui avait rien dit.

Brad se redressa, aucunement intimidé.

— Sarah, écoute-moi, dit-il sérieusement. Mets-toi à ma place : un footballeur qui vient de prendre sa retraite, qui a un visage et un nom célèbres, trente-cinq ans, un compte en banque bien garni, et qui est ouvert à des possibilités nouvelles et différentes. Ces six derniers mois, on m'a fait toutes sortes de propositions : honnêtes, illégales, bizarres, je ne pourrais pas toutes les citer.

Il s'arrêta, attendant que Sarah parle, mais elle ne dit rien.

— ... Puis, un soir, alors que j'avais essayé de m'échapper quelques jours pour remettre de l'ordre dans mes pensées, arrive une jeune et jolie femme, trempée jusqu'aux os, qui prétend avoir perdu une lentille de contact dans une flaque de boue. Elle m'explique qu'elle voudrait examiner quelques pierres tombales, qu'elle est présidente d'une société dont je n'ai jamais entendu parler, et P.-D.G. d'une fondation que je ne connais pas davantage. Il s'avère que la propriété que j'ai achetée il y a quelques mois, sur la recommandation de mon ami Ham Black, est pleine de feus Blackstone. Très bien. Mais ensuite, après que nous ayons fait l'amour, cette jeune femme décide de s'enfuir...

Hamilton pâlit de nouveau et s'enfonça dans son siège.

— Sarah, au nom du ciel...

— ... Et le lendemain, poursuivit Brad, pointant l'index sur Hamilton, je reçois par coïncidence une lettre de Hamilton Blackstone IV m'invitant à assister à une réunion des membres de la fondation Blackstone.

Sarah regarda son frère.

— C'est donc pour ça que tu disais que tout était ma faute.

— J'avoue que ce n'était pas très courageux de ma part.

Brad ne tint pas compte de leurs commentaires.

— J'ai d'abord pensé qu'il s'agissait d'une plaisanterie, mais je suis allé à la bibliothèque pour faire quelques vérifications, et j'ai appris qu'il existait bien une famille Blackstone et un empire Blackstone. Cela m'a bien éclairé, mais m'a aussi plongé dans une certaine perplexité.

Hamilton tendit la main vers son verre, mais il était visiblement plus calme, maintenant.

— J'imagine que ma disparition n'a rien arrangé. J'avais besoin de prendre du recul pour réfléchir. Tu es un grand ami, Brad, et je ne voulais pas perdre cette amitié. Ham Black est un nom qui ne comporte pas autant de syllabes que le vrai et qui n'est pas suivi d'autant de titres, mais c'est celui qui correspond réellement à ma personnalité. Je n'ai pas fait semblant d'être quelqu'un d'autre.

— Je le sais, fit simplement Brad, et il hocha la tête en direction de Sarah. Elle n'a pas arrangé la situation en me cachant qu'elle t'avait vu, mais je suppose que je ne peux pas l'en blâmer. Ce bruit sourd n'était pas celui d'une machine à laver.

— Je lui avais dit que tu avais l'intention de me réduire en bouillie.

Brad éclata de rire, ce mélange de sincérité et de sensualité revenu dans ses yeux. Sarah dut lutter contre l'étrange impression qui lui bloquait l'estomac.

— Je pourrais le faire moi-même, fit-elle. Vous m'avez trompée pendant une année entière, monsieur Blackstone.

— Oui, mais nous avons passé de bons moments, n'est-ce pas?

— Absolument.

Sarah resta immobile. Son frère n'avait pas terminé sa thèse d'anthropologie, il avait entraîné des joueurs de football. Maintenant, il était de retour dans la compagnie Blackstone et invitait son ami à devenir membre de la fondation. Brad Craig, cet homme qu'elle continuait d'adorer, malgré le choc et la colère provoqués par ces révélations, avait appris l'existence des industries Blackstone et par conséquent celle de Sarah Blackstone la semaine précédente, le mercredi. Il l'avait soupçonnée de toutes sortes de tromperies. Il ne lui avait pas parlé de son ami Black, même quelques heures plus tôt, après avoir fait l'amour. Il savait tout et ne lui avait rien dit.

— Viendras-tu à la réunion demain? demanda Hamilton.

— Seulement si...

Mais Sarah bondit sur ses pieds, arrêtant Brad, et sans prendre le temps de réfléchir à ce qu'elle faisait, elle déclara froidement, la tête haute :

— Il n'y aura pas de réunion demain. Je suis la présidente, et je viens de décider de l'annuler. Éteignez les lumières et fermez la porte en sortant. Bonne nuit, messieurs.

Elle fit demi-tour, et, vaguement consciente du fait qu'elle avait légèrement abusé du sherry et ne voulait pas vraiment agir ainsi, elle s'éloigna vers l'escalier.

— Non, reste, fit Hamilton, s'adressant non pas à elle, mais à Brad. Je connais ma sœur. Il faut lui laisser le temps de se calmer.

Sarah sentait les larmes lui piquer les yeux, mais elle continua à marcher. Quand elle atteignit sa chambre, son obscurité et son silence, — et sa solitude — elle s'était calmée. Mais il était trop tard. Elle retourna dans le hall sur la pointe des pieds. En bas, tout était sombre. Brad et Hamilton étaient partis.

12

IL était presque minuit ce samedi, deux jours plus tard. La lune brillait dans le ciel clair, et les étoiles étincelaient. Sarah aurait préféré de la pluie. Elle descendit de sa bicyclette flambant neuve, et la laissa tomber dans l'herbe devant la terrasse. Pas une lumière ne brillait dans l'ancienne ferme. Satisfaite, elle se dit qu'elle allait le faire sortir du lit.

Elle monta rapidement les marches et, sans hésiter une seconde, pressa la sonnette. Un carillon résonna profondément dans la maison obscure. Une minute s'écoula.

Et s'il était absent? Elle secoua la tête en sonnant de nouveau. Il était là. Une autre minute s'écoula, interminable. L'air nocturne était chaud et calme, et pourtant Sarah frissonnait dans son pantalon de toile bleu marine et sa chemisette à rayures. Ce n'était pas une tenue vraiment adaptée à la pratique de la bicyclette, bien qu'elle n'eût parcouru qu'une courte distance. Elle sonna de nouveau, attendit impatiemment quinze secondes, et se mit à frapper contre la porte.

Il devait être là!

— Allons, Brad, grommela-t-elle, ouvre cette porte.

Une ombre se profila sur la terrasse éclairée par la lune, et Sarah se retourna brusquement, heurtant la poitrine musclée de Brad Craig. Il portait son grand peignoir couleur ocre, dont l'entrebâillllement laissait apercevoir sa poitrine. Son sourire était enthousiaste.

— On entend tes freins depuis un kilomètre, murmura-t-il avec un rire charmeur.

Ses mains puissantes prirent la jeune femme par la taille et il la souleva de terre sans le moindre effort.

— Brad, mon Dieu...

La bouche de Brad recouvrit la sienne, lui coupant la respiration, et l'empêchant de terminer sa phrase. Incapable de s'en empêcher et ne le voulant pas — après tout, c'était pour ça qu'elle était venue — Sarah referma ses mains sur les puissantes épaules. Les pieds de la jeune femme se trouvaient maintenant à trente centimètres du sol. Mais elle se sentait si bien dans l'étreinte de ses bras, plaquée contre son corps et étourdie par ses baisers. Elle répondit à sa passion, et ils s'embrassèrent longuement.

— Je voulais faire semblant d'être une étudiante sans argent, dit-elle enfin.

— Contente-toi d'être toi-même, dit-il en lui embrassant le lobe de l'oreille. C'est toi que j'aime, Sarah, simplement toi.

Ils s'embrassèrent de nouveau passionnément. Plus rien n'avait d'importance : ni Hamilton, ni la fondation, ni la compagnie, ni ses responsabilités ; seul ce moment comptait. Elle était encore étourdie par la brusque apparition de Brad, et plus encore, par ses sentiments pour lui.

— Je t'aime, Brad, murmura-t-elle. Je t'aime tant ! Depuis ce jour où tu as mis de l'herbe à chat dans mes œufs...

— De l'herbe à chat !

Elle éclata d'un rire joyeux

— Tu es si merveilleux ! J'ai l'impression d'avoir attendu des années pour arriver finalement dans ta vie.

En un mouvement fluide, il la prit dans ses bras et descendit les marches de la terrasse. Elle rejeta la tête en arrière et se mit à rire.

— Je devrais te jeter dans le ruisseau, déclara-t-il.

— C'est moi qui devrais être en colère, protesta Sarah.

Il traversa les parterres de fleurs et le jardin potager. Sarah sentait l'odeur fraîche de l'estragon.

— Tu as une idée de la torture à laquelle tu m'as soumis ces deux derniers jours?

— Tu l'avais parfaitement mérité, cachottier.

Le cou de la jeune femme était calé au creux de son bras puissant. Son corps frôlait celui de Brad, lui coupant la respiration tandis qu'il traversait la pelouse. Elle sentait son odeur propre et parfumée sous l'épaisseur du peignoir. Tous ses sens étaient en éveil.

Il grommela.

— Corbin Delaney me rend responsable du retour à la raison d'Hamilton et de ta soudaine crise de folie.

— Mais je ne suis pas folle!

Le rire de Brad résonna dans la nuit calme.

— S'il te voyait en ce moment, que crois-tu qu'il penserait?

— Il penserait que je suis victime d'un joueur de football monstrueux et que je ne le regrette pas une seconde! Le ruisseau?

— Tu tenterais probablement de m'y plonger avec toi.

— Je me suis entraînée.

Il lui sourit, ses yeux sombres éclairés par la lune.

— Je n'en doute pas.

Sarah leva les bras pour le prendre par le cou, et embrasser la ligne marquée de sa mâchoire.

— Tu veux vérifier?

— Tu ne peux pas m'entraîner, ni me faire tomber, puisque c'est moi qui te porte!

— Ha, ha, je peux le faire!

Sur ces mots, elle baissa la tête et l'embrassa passionnément.

— Avec qui as-tu travaillé cet excercice? gronda-t-il.

Mais son bras glissa le long du dos de la jeune femme, comme elle l'avait prévu, et elle fit porter tout son poids dans ses bras, noués autour du cou de Brad. Elle aurait dû le faire basculer.

Brad resta immobile et éclata de rire.

— Tu devrais tomber!

Mais ses efforts l'avaient propulsée trop haut, et elle se tenait au dos du peignoir de Brad pour ne pas tomber par-dessus son épaule. Il la tenait fermement par le bassin.

— C'est ce que j'aime chez toi, Sarah. Tu es complètement intrépide, tu n'as peur de rien.

Il lui suffisait de faire un petit mouvement pour la jeter dans les airs.

— Je tiens ton peignoir, Brad, l'avertit-elle. Si je tombe, tu tombes aussi.

— Comment penses-tu faire ça?

Elle fut surprise par son geste brusque qui la projeta par-dessus sa tête, et elle lâcha le peignoir. Elle cria le nom de Brad en riant.

Il la lâcha. Elle s'envola, mais tendit les mains vers lui en même temps qu'il la rattrapait. Elle tomba dans ses bras juste avant de toucher le sol. Ils étaient tous les deux épuisés et riaient.

— Ma petite Sarah, murmura Brad avec douceur.

Leur bataille avait détaché son peignoir, qui reposait maintenant vaguement sur ses épaules, la ceinture traînant dans l'herbe. Sarah apercevait son torse et ses longues jambes. Son rire s'arrêta.

— Ton peignoir...

— Qui se soucie de mon peignoir? fit-il en l'arrachant et en le jetant dans l'herbe. Je voulais t'emmener sous le pommier, mais cet endroit conviendra très bien.

Ils étaient au bord du champ, non loin du cimetière des Blackstone.

— Mes ancêtres pourraient bien se retourner dans leur tombe...

Il s'approcha d'elle en riant.

— Qu'ils fassent ce qu'ils veulent.

Avant qu'elle puisse réagir, il avait commencé à la déshabiller.

— Es-tu vraiment venue à bicyclette depuis New York? demanda-t-il en la contemplant.

Elle secoua la tête.

— Non, je suis venue en voiture et je n'ai pris ma bicyclette que pour parcourir les derniers kilomètres.

— Très bien, fit-il en continuant son travail. Je suis heureux que tu aies conservé ton énergie.

Il effleura doucement le visage de Sarah, puis ses doigts descendirent vers la poitrine de la jeune femme.

— Je ne me lasserai jamais de te regarder, ni de te toucher, dit-il.

Sarah resta immobile, face à cet homme qu'elle aimerait toujours. Elle respirait l'air parfumé de la nuit. Puis il l'embrassa tendrement, et la déposa dans l'herbe tendre. Le contact de la rosée sur son corps la surprit, mais la chaleur qui brûlait en elle, et en lui, était beaucoup plus importante. Elle ouvrit ses bras, prête à l'accueillir.

— Je t'aime, Sarah.

— Je t'aime.

La terre sembla alors se mettre à trembler au rythme de leur passion. Pendant très longtemps, Sarah ne fut plus consciente que de son amour pour Brad, cet amour qu'il lui rendait. Quand enfin, le monde sembla cesser de tourner autour d'eux, Sarah retomba dans les bras de Brad, et vit les étoiles et la lune qui brillaient au-dessus d'eux. Elle sourit à Brad en songeant qu'il ne pourrait jamais faire taire son amour pour lui, mais qu'il saurait le satisfaire. C'était l'homme de sa vie. Elle aurait toujours besoin de lui, et elle savait qu'il ressentait la même chose. C'était son désir. Elle n'avait pas peur.

Elle lui sourit, effleurant ses lèvres du doigt, et lui dit à l'oreille :

— Je t'aimerai toujours.

Finalement, ils rentrèrent se coucher, et firent l'amour jusqu'à l'aube.

A midi, Brad sortit du lit en grommelant :

— Mes parents doivent rentrer du Michigan dans une heure environ. Ils t'adoreront, Sarah, mais je ne pense pas qu'ils aimeraient trouver nos vêtements sur la pelouse.

— Oh, mon Dieu !

Brad lui prêta une chemise, et ils coururent dehors ramasser leurs vêtements, puis rentrèrent, prirent une douche, et se préparèrent enfin un délicieux petit déjeuner. Sarah s'installa sur le banc, Brad au bout de la table. Leurs genoux se touchaient, mais cette fois, ni l'un ni l'autre n'en ressentait de gêne. Sarah avait passé un pantalon vague et un tee-shirt, Brad portait son jean délavé et une chemisette qui faisait ressortir les muscles de ses bras.

— Comment trouves-tu des pantalons à ta taille? demanda-t-elle en souriant.

— Je n'en trouve pas. Je dois les faire faire sur mesures.

— Un homme normal...

— Sarah...

Sa voix contenait un avertissement, mais ses yeux étaient toujours rieurs, et Sarah, imperturbable, étala de la confiture sur une tartine.

— As-tu vraiment fait cette confiture toi-même?

Il haussa les épaules.

— Que peut faire d'autre un footballeur retraité?

Sarah lui lança un regard aigu et sans pitié.

— Je pourrais devenir vice-président des industries Blackstone, reprit-il, «chargé des relations publiques et de la communication.»

— Excellente idée, répondit Sarah. En as-tu parlé à Hamilton?

Brad éclata de rire en lui lançant au visage sa serviette de table.

— Mais voyons, petite snob, c'est lui qui me l'a proposé!

Sarah sourit de son erreur.

— Eh bien, il ne lui a pas fallu longtemps pour reprendre les choses en mains. Pourquoi ne m'avais-tu pas parlé de ce «Ham-poté» Black? reprit-elle après un instant.

— Parce que je ne pensais pas devoir le faire, tout comme tu ne pensais pas devoir m'avouer que tu l'avais vu, expliqua Brad. D'après tout ce que vous m'aviez dit, Corbin, ta mère, ta tante, j'avais compris

153

que Ham se trouvait dans une position assez délicate vis-à-vis de sa famille et de la compagnie. Je ne savais pas comment vous réagiriez en apprenant qu'il avait été entraîneur d'une équipe de football, que cette équipe ait ou non gagné le championnat. Je ne voulais pas mettre sa situation en danger, tout comme tu ne voulais pas détruire l'amitié qui s'est créée entre lui et moi. Nous nous efforcions tous les deux de le protéger. Et comme je l'ai dit auparavant, Sarah, j'ai toujours eu confiance en toi.

Elle eut un rire joyeux.

— Toi et ton jeu de détective! Je craignais tellement que tu découvres que j'étais bien celle que je disais être depuis le début et que tu en sois déçu.

Il effleura du doigt la joue de la jeune femme.

— Ton nom et tes titres ne m'ont jamais intéressé. C'est toi que j'aime.

— Sais-tu combien ces mots me rendent heureuse?

— Si mes parents ne devaient pas arriver d'une minute à l'autre, Miss Blackstone...

Il s'éclaircit la gorge et mordit dans une tartine.

— Corbin et ma famille sont-ils au courant pour Ham Black? demanda-t-elle.

— Pas encore, dit-il avec un sourire mystérieux. Mais cela ne va pas tarder. Ham et moi avons fait une publicité ensemble. Il joue le rôle de « Hampoté », ancien entraîneur des New York Novas, qui est en réalité Hamilton Blackstone IV, P.-D.G. d'une importante compagnie. Les publicistes sont enthousiasmés, nous les avons vus hier.

— Une publicité pour quoi?

— Une bière, voyons, fit Brad avec un large sourire.

— J'imagine la tête de ma mère et de tante Anna! Et Corbin... Ce sera sans doute très bon pour la renommée de la compagnie, mais notre famille nous prendra pour des fous : Ham, dans une publicité pour une marque de bière, et moi, amoureuse d'un footballeur. Bien sûr, tu sais que je plaisante. Ils te trouvent tous merveilleux. Qu'a dit tante Anna?...
« Si tu le laisses échapper, Sarah, c'est vraiment que

tu es folle. » Chère tante Anna. Elle, elle aurait été prête à comploter pour te rencontrer.

Brad la regarda avec sérieux.

— Sarah, es-tu vraiment préoccupée par leur opinion?

— Un peu, mais pas suffisamment pour me poser des questions. Je me suis toujours sentie responsable pour eux, mais pas parce qu'ils me l'avaient demandé ni même parce qu'ils avaient besoin de moi. J'ai toujours su que je pouvais confier la direction de la compagnie à Corbin et m'occuper davantage de la fondation, mais je ne voulais pas réellement le faire. J'ai beaucoup appris sur moi pendant l'année écoulée. Je n'ai pas été malheureuse, seulement écrasée par les responsabilités, mais j'ai survécu.

— C'est plutôt cela qui t'a fait survivre, corrigea Brad. Tu aimes ton travail, n'est-ce pas?

— Oui, mais il commençait à diriger ma vie. Quand Hamilton m'a parlé du cimetière, j'ai pensé que c'était une occasion idéale de partir seule et de prendre du recul par rapport à mon travail. J'étais tellement convaincue que je devais me lancer seule dans cette aventure que... Enfin, disons simplement que je ne voyais que l'arbre qui cache la forêt.

Elle regarda Brad, si sensible et si attentif. Après si peu de temps, il voulait absolument connaître les raisons qui faisaient d'elle ce qu'elle était. Ce devait être la destinée!

Elle sourit, reposa sa tasse, et lui prit la main.

— Et toi, Brad? Tu aimes toujours le football, n'est-ce pas?

— Oui, dit-il et il regarda Sarah en lui souriant tendrement. J'ai refusé l'offre de Ham, Sarah.

— Je n'en suis pas surprise.

— Je ne suis pas encore prêt à porter un costume trois-pièces pour aller travailler chaque jour, ni à quitter le football. J'y ai consacré vingt ans, Sarah, toute ma vie, en fait. Mon père est resté trente ans président de l'association sportive d'une université, parce qu'il ne voulait pas s'enfermer dans un bureau. Mais j'aimerais devenir membre de la fondation Blackstone. A moins que tu n'y opposes ton veto.

— Pour en payer les conséquences? s'exclama Sarah.

— Je ne perdrais pas une occasion, fit-il, le regard malicieux.

— Eh bien, je crois que finalement, j'y opposerai mon veto.

Il éclata de rire, mais poursuivit plus sérieusement :

— J'ai décidé d'accepter de commenter les matches pour la télévision. Je crois que ce sera amusant, et intéressant. Je n'ai pas regardé beaucoup de rencontres dans ma vie, mais je connais assez bien le jeu.

— C'est le moins que l'on puisse dire, fit Sarah en plissant les lèvres, les fossettes creusant ses joues. Est-ce que cela signifie que je devrai m'habituer à lire la rubrique sportive des journaux? Je ne voudrais pas confondre un athlète d'un mètre quatre-vingt-quinze et quatre-vingt-dix kilos...

Il bondit pratiquement de sa chaise.

— Comment connaissais-tu ma taille et mon poids, Sarah Blackstone, si tu n'avais jamais entendu parler de moi?

— Gwen Friedrich.

— J'aurais dû m'en douter. Elle est de mon côté, j'espère? Si je dois vivre avec elle...

— Brad! Tu veux dire que tu habiteras dans mon hôtel particulier?

— Crois-tu que j'aurais le cœur de t'éloigner de tes pointes de flèches? De plus, je suis très attiré par ta terrasse. Mais si Gwen ne m'apprécie pas...

— Ne t'inquiète pas pour ça, s'empressa de répondre Sarah. Elle t'adore. Elle nous voit déjà élevant une famille...

Brad rejeta la tête en arrière et éclata d'un rire joyeux. Réprimant un sourire, Sarah serra le poing, comme il lui avait appris à le faire, et heurta de toutes ses forces le ventre musclé de Brad.

Il referma la main sur le poignet de la jeune

femme, la soulevant du banc pour la faire atterrir sur ses genoux.

— Je ne t'ai jamais dit qu'il était dangereux de s'attaquer à un monstre de mon espèce?

Sa respiration était chaude sur le visage de Sarah, et elle voyait des éclairs de passion dans ses yeux sombres.

— Tu ne t'es pas enfuie assez vite, reprit-il.

— Je ne voulais pas m'enfuir.

— Tu n'aurais jamais couru assez rapidement, chérie. Je t'aurais poursuivie...

La bouche de Brad s'approcha de la sienne, mais le bruit d'une voiture dans l'allée les interrompit.

— Tes parents! fit Sarah en bondissant sur ses pieds pour débarrasser la table.

Brad resta près d'elle.

— Ils se sont absentés deux semaines, et cela m'a suffi pour tomber amoureux de la femme que je veux épouser...

Sa voix s'éteignit. Sarah le regarda, une assiette à la main, l'amour brillant dans ses yeux.

— Nous pourrions organiser la cérémonie ici, dit-elle d'une voix précipitée. Cet automne, au moment où les feuilles jauniront. Oh, Brad, ce serait merveilleux!

— Oui, certainement, acquiesça-t-il en souriant.

— Brad? fit la voix d'une femme plus âgée.

Ils entendirent une portière claquer, et des pas sur le gravier de l'allée.

— Sais-tu qu'il y a une Rolls Royce un peu plus bas sur la route? C'est étrange, nous n'avons vu personne...

Brad regarda Sarah.

— Une Rolls?

— Je n'ai pas de voiture, répondit-elle en haussant les épaules. J'ai dû emprunter celle de ma mère.

Il eut un rire profond et sensuel.

Ses parents apparurent sur le seuil. Dorothy Craig était nettement plus grande que Sarah, et Brad avait les mêmes yeux sombres qu'elle et ses cheveux épais et bruns, bien que quelques fils d'argent aient commencé à apparaître dans ceux de sa mère. Elle portait une robe d'été de coton jaune. Bradley Craig Senior était aussi grand que son fils, et il avait le même visage fort et amical, mais beaucoup plus de cheveux. Il portait un pantalon kaki et un pull-over. Ils avaient tout à fait l'apparence de deux grands-parents heureux. Les yeux de Dorothy Craig se posèrent sur Sarah.

— Oh, excusez-moi.

— Non, non, maman, fit Brad en riant. Ce n'est rien. Maman, je te présente Sarah Blackstone. Sarah, mes parents, Bradley et Dorothy Craig.

— Sarah Blackstone! s'exclama le père de Brad qui avait une voix aussi profonde que celle de son fils. Je suis enchanté de faire enfin votre connaissance, Sarah. Est-ce que vous venez d'arriver? Avez-vous visité le cimetière?

Dorothy Craig sourit.

— Je suis si heureuse que vous vous soyez arrangée avec Brad pour venir. Je suis désolée d'avoir été obligée de retarder votre voyage, mais vous savez qu'on ne peut pas dire à un bébé à quel moment il doit naître, fit-elle en éclatant de rire. Laissez-moi vous faire visiter les lieux. Bradley et moi avons fait des recherches dans la maison et je peux vous montrer les parties des bâtiments d'origine ainsi que celles qui ont été ajoutées par la suite...

— Maman, coupa Brad en prenant la main de Sarah, papa et toi voudriez peut-être vous asseoir un moment pour prendre une tasse de café.

— Je suis très heureuse de vous connaître, fit Sarah en souriant et en se demandant ce que tante Anna aurait dit dans ces circonstances. Brad s'est montré très gentil.

Brad réprima un éclat de rire en approchant une chaise de la table.

— Asseyez-vous, proposa-t-il. Nous avons une longue histoire à vous raconter.

— Vraiment? demanda sa mère en s'exécutant.

Son père servit le café.

— Cela aurait-il un rapport quelconque avec la Rolls garée le long de la route et la bicyclette qui se trouve devant le perron?

158

— Eh bien...

Brad et Sarah attendirent que les Craig se soient installés pour prendre place sur le banc et commencer leur récit.

— Vous vous souvenez de mon ami Ham Black? demanda Brad.

Ses parents acquiescèrent.

— C'est lui qui t'avait parlé de cet endroit, répondit Dorothy.

— En effet.

— C'est mon frère, intervint Sarah. Hamilton Blackstone IV, P.-D.G. des industries Blackstone.

Brad hocha la tête.

— Mais cela, je ne l'ai appris que la semaine dernière.

Sarah se leva pour se resservir du café, sans quitter Brad des yeux. Elle sentait que Dorothy l'observait et la regarda brièvement, mais en ces quelques secondes, Sarah comprit qu'elle avait fait savoir à cette autre femme ce qui comptait le plus pour elle : celle qui était venue admirer les pierres tombales de ses ancêtres était profondément amoureuse de Brad Craig et le serait toujours.

LA COMPOSITION, L'IMPRESSION ET LE BROCHAGE DE CE LIVRE
ONT ÉTÉ EFFECTUÉS PAR LA SOCIÉTÉ NOUVELLE FIRMIN-DIDOT
MESNIL-SUR-L'ESTRÉE
POUR LE COMPTE DES PRESSES DE LA CITÉ
LE 15 NOVEMBRE 1984

Imprimé en France
Dépôt légal : novembre 1984
N° d'édition 4980 – N° d'impression : 1450